MW00636900

新完全マスター 読解

日本語能力試験 N2

田代ひとみ・中村則子・初鹿野阿れ・清水知子・福岡理恵子 著

スリーエーネットワーク

Published by 3A Corporation.
Trusty Kojimachi Bldg., 2F, 4, Kojimachi 3-Chome, Chiyoda-ku, Tokyo 102-0083, Japan

ISBN978-4-88319-572-5 C0081

First published 2011
Printed in Japan

はじめに

日本語能力試験は、1984年に始まった、日本語を母語としない人の日本語能力を測定し認定する試験です。受験者が年々増加し、現在では世界でも大規模な外国語の試験の一つとなっています。試験開始から20年以上経過する間に、学習者が多様化し、日本語学習の目的も変化してきたため、2010年に新しい「日本語能力試験」として内容が大きく変わりました。新しい試験では知識だけでなく、実際に運用できる日本語能力が問われます。

本書はこの試験のＮ２レベルの読解問題集として、以下の構成で作成しました。

実力養成編

第１部　評論・解説・エッセイなど

第２部　広告・お知らせ・説明書きなど

試験に出題されると思われるさまざまな形式の文章を、第１部、第２部に分けて取り上げました。文章一つに問いは一つです。焦点を絞って読む練習ができます。

第３部　実戦問題

第１部・第２部で練習した形式以外の、実際の試験に出題される形式の問題を並べました。これらの問題を解くことによって試験形式に慣れることができます。

模擬試験

実際の試験と全く同じ形式の模擬試験問題です。時間を計りながら読解問題を解いてみると、本番でどのように取り組めばいいか、心構えができます。

■本書の特徴

①基礎的な読みのポイントを紹介します。その後、そのポイントの練習をします。

②例題の解説は記号などを用いて、簡潔にわかりやすく説明してあります。練習問題については、詳しい解説を別冊につけました。

③新試験で出題されるお知らせ、説明書き、広告など実用的な文章も多く練習します。

本書が日本語能力試験の受験に役立つと同時に、日本語を使って学習・生活・仕事をする際の手助けにもなることを心から願っています。

著者

目　次

第3部　実戦問題

本書をお使いになる方へ

■本書の目的

本書は以下の２点を大きな目的としています。

①日本語能力試験Ｎ２対策：Ｎ２の試験に合格できる力をつける。

②「読解」能力の向上：試験対策にとどまらない全般的な「読解」の力をつける。

■日本語能力試験Ｎ２読解問題とは

日本語能力試験Ｎ２は、「言語知識・読解」（試験時間105分）と「聴解」（試験時間50分）の二つに分かれており、読解問題は「言語知識・読解」の一部です。

読解問題はさらに以下の五つの部分に分かれます。

1　内容理解（短文）５問（200字程度の短文に１問×５題）

2　内容理解（中文）９問（500字程度の中文に３問×３題
　ただし、問題数は変更される場合があります。）

3　統合理解　２問（合計600字程度の複数の文章に２問×１題）

4　主張理解（長文）３問（900字程度の長文に３問×１題）

5　情報検索　２問（700字程度の広告・パンフレットなどに２問×１題）

■本書の構成

本書では、上で紹介した日本語能力試験に合格できる能力を身につけられるように、日本語の文章や情報素材を読む練習を少しずつ重ねていく構成になっています。

実力養成編

第１部　評論・解説・エッセイなど
　1．文章のしくみを理解する
　2．問いを解く技術を身につける

第２部　広告・お知らせ・説明書きなど
　1．全体をつかむ
　2．情報を探し出す

第３部　実戦問題

模擬試験

第１部から第３部まで、例題の後に練習がありますので、学んだことをもとに問題を解いてみましょう。以下に詳細を説明します。

実力養成編　**第１部：評論・解説・エッセイなど**

第１部は、評論・解説・エッセイなどの文章を取り上げており、二つの部分からなります。

１．文章のしくみを理解する

２．問いを解く技術を身につける

１．文章のしくみを理解する―文章全体の意味をとらえる練習

ここでは、文章のしくみを理解する練習をします。

外国語の文章を読むときは、細かい点に気をとられていると、どうしても全体で何が述べられているのかまで注意が向かないことがあります。そこで、この本ではまず、文章全体で筆者が何を言おうとしているのかに注意を向けて読む練習をします。

Ｎ２レベルの能力試験を受験しようとする人たちの中には、日本語を読むことが得意ではない人、難しい漢字があると理解ができない人など、さまざまな人がいると思います。また、「文章の部分的な質問には答えられるが、全体で何を言っているのかがわからない」という人もいます。

そのような人にもわかりやすくポイントを示すため、例題では文章のしくみを図や記号を用いて解説しました。

１）［対比］　ほかのものと比べる

２）［言い換え］　ほかの言葉で言い換える

３）［比喩］　ほかのものにたとえる

４）［疑問提示文］疑問文を使って話題を提示する

５）［主張表現］　自分の意見であることを示す

こうしたしくみに気づくと、文章が理解しやすくなります。読むことが得意な人も、文章をより速く、より正確に理解することができるでしょう。

２．問いを解く技術を身につける―文章の細かい部分を正確に読み取る練習

ここでは、実際の試験でよく問題に出される、以下のような形式の問いを取り上げ、それに答える技術を紹介し、練習します。

１）指示語を問う

２）「だれが」「何が」「何を」などを問う

３）下線部の意味を問う

４）理由を問う

５）例を問う

細かい部分を考えることにより、文章を正確に理解できるようになります。

第１部は、日本語能力試験の「内容理解（短文）」のための練習になります。また、「内容理解（中文）」を読むための基礎練習にもなります。

第２部：広告・お知らせ・説明書きなど

改定後の日本語能力試験では、評論・解説・エッセイなどの文章以外に、広告やお知らせ、説明書きなどの文章も出題されます。こうした文章では、読み手は評論・解説・エッセイを読むのとは違う読み方をする必要があります。例えば、最初から終わりまで丁寧に読むのではなく、全体にざっと目を通して文章の目的や主旨をつかむ、あるいは、必要な部分だけを読むという読み方です。さまざまなタイプのものに接して、どこに注目すればよいかを知っておきましょう。

１．全体をつかむ―全体的な内容を尋ねる問い

まず、どのような内容であるのか、全体をつかむ練習をします。

「内容理解（短文）」のための練習です。

２．情報を探し出す―部分的な内容を尋ねる問い

実際に広告・お知らせ・説明書きなどを読む場合には、何かの目的のために、自分の知りたい情報を探すことが多いです。日本語能力試験でも、そのような問題が出題されます。問いを読み、必要な情報を探し出す練習をします。

主に「情報検索」と「統合理解」のための練習です。

第３部：実戦問題

ここでは、以下のような実際の試験問題と同じ形式の問題を解きます。なお、「内容理解（短文）」は第１部、第２部で練習したので、ここには含まれません。

・内容理解（500 字程度の中文に３問）

・主張理解（900 字程度の長文に３問）

論理展開が比較的明快な評論など、900 字程度の文章を読んで、全体として伝えようとしている主張や意見がつかめるかを問う問題です。ここでは、部分を問う問題と、全体を問う問題がありますので、それを練習します。

・統合理解（合計 600 字程度の複数の文章に２問）

比較的平易な複数の文章を読み比べて、比較したり、統合したりしながら理解できるかを問う問題です。これは、第１部の応用ですが、問題を解く際、気をつけるべき点がいくつかありますので、それを練習します。

・情報検索（700 字程度の広告・パンフレットなどに２問）

第２部の２で練習した問題を、試験と同じ形式で練習します。

日本語能力試験の問題と本問題集の対応表

日本語能力試験の問題	試験問題に対応する本問題集の練習問題
内容理解(短文)	第１部　評論・解説・エッセイなど 　１．文章のしくみを理解する　２．問いを解く技術を身につける 第２部　広告・お知らせ・説明書きなど 　１．全体をつかむ　２．情報を探し出す
内容理解(中文)	第３部　実戦問題(基礎練習として第１部、第２部)
統合理解	第３部　実戦問題(基礎練習として第１部、第２部)
主張理解(長文)	第３部　実戦問題(基礎練習として第１部)
情報検索	第２部　広告・お知らせ・説明書きなど 　１．全体をつかむ　２．情報を探し出す 第３部　実戦問題

模擬試験

実際の日本語能力試験と全く同じ形式、同じ数の問題が含まれる模擬試験です。

試験では「言語知識(文字・語彙・文法)・読解」の時間が105分となっていますので、自分で読解の時間配分を考え、何分くらいかかるか計りながらやってみましょう。

■例題の解説で使う主な記号

- □　：注目すべき接続表現
- ⇧　：指示語が示す先
- ←→ ↕　：対比
- [　]　：省略部分
- ＝ ‖　：言い換え

■表記

- 表記は原典に従いました。解説やオリジナルの文章での表記は、常用漢字表(2010年)に準拠しましたが、一部例外もあります。
- 旧日本語能力試験の級外漢字・１級漢字を含む語彙、級外語彙・１級語彙、また特に読み方が難しいと思われる語彙にふりがなをつけました。ただし、「情報検索」や、それに類する問題には、ふりがなをつけていません。原典にあるふりがなは、そのままつけてあります。
- 例題の解説、別冊の解説では、すべての漢字にふりがなをつけました。

実力養成編 第1部 評論・解説・エッセイなど

第１部では、評論・解説・エッセイなどを取り上げて、読みの基礎を練習します。

文章の長さは短いものもあれば長いものもありますが、一つの文章につき問いは一つだけです。注目すべきポイントを絞りました。

1．文章のしくみを理解する―文章全体の意味をとらえる練習

「この文章の内容として最も適切なものはどれか」「この文章で筆者が最も言いたいことは何か」といった問いを取り上げます。「文章のしくみ」を意識して読むと、文章全体の意味がつかみやすくなり、全体的な内容を問う問いにも答えやすくなります。

「文章のしくみ」を理解する手がかりとして、ここでは

1）［対比］　ほかのものと比べる
2）［言い換え］　ほかの言葉で言い換える
3）［比喩］　ほかのものにたとえる
4）［疑問提示文］　疑問文を使って話題を提示する
5）［主張表現］　自分の意見であることを示す

を取り上げました。もちろん、すべての文章にこれらが当てはまるわけではありませんが、この五つは一般的によく使われています。

例題では、次の手順で解説しています。

全体をつかもう

キーワードからテーマを推測し、その文章のしくみの特徴(対比、言い換え、比喩など)に着目して文の流れを追い、全体をまとめる。

選択肢と比べよう

「全体をつかもう」でわかったことと選択肢を比べ、正解を選ぶ。

2．問いを解く技術を身につける―文章の細かい部分を正確に読み取る練習

「それは何を指しているか」「____とはどういうことか」「だれが____したのか」など、部分的な内容を問う問いを取り上げ、文章の細かい部分を正確に読み取る練習をします。
ここでは、代表的な問いの形として、

1）指示語を問う
2）「だれが」「何が」「何を」などを問う
3）下線部の意味を問う
4）理由を問う
5）例を問う

の５種類を取り上げました。これらの問いを解く技術を身につけましょう。

例題では、次の手順で解説しています。

ステップ１　本文を読んで全体をつかもう

細かい問いに答える問題でも、まずは全体をざっとつかむ。

ステップ２　問いを見て本文から答えを探そう

問いのタイプに合わせた「読みのポイント」を使って、答えを探す。

ステップ３　選択肢と比べよう

ステップ１、２でわかったことと選択肢を比べ、正解を選ぶ。

1. 文章のしくみを理解する—文章全体の意味をとらえる練習
1)［対比］ほかのものと比べる

◆重要なことやもの(A)を説明するとき、ほかのことやもの(B)と「比べて」述べることが多い。(これを「対比」という)
(B)と比べると、(A)の特徴が「はっきり」する。
「対比」をつかむと、文章のポイントが見えてくる！
それぞれの「違う点」をしっかりつかもう。

◇◇

☆ 例題1　問いに対する答えとして最もよいものを一つ選びなさい。

近年、インターネットやLANを利用して行う会議、いわゆる電子会議が広まっている。電子会議の長所は会場に参加者が集まらなくてもいいことだが、それだけではない。一般に、普通の会議では、「周囲の目」が気になって、だれか(特に目上の人)が発言している間「うんうん」とうなずいたりして「聞いていますよ」という態度を「周囲」に示し続けることに意識が向かってしまう。しかし、実はその間、思考のほうはストップしてしまいやすい。それに対し、電子会議の場合は、「周囲」を気にする必要がなく、自分の思考を止めずにほかの人の発言が聞ける。その結果、新しいアイデアが浮かぶことが多いのである。

問い　この文章の内容として最も適切なものはどれか。

1　普通の会議より電子会議のほうが、アイデアが出やすい。
2　普通の会議より電子会議のほうが、周囲が気になる。
3　電子会議は普通の会議と違って、わざわざ会場に行かなくてもよい。
4　電子会議は普通の会議より、考える時間が短い。

全体をつかもう

1）キーワードからテーマを推測する

電子会議、普通の会議、「周囲」、思考　→　テーマは、電子会議について？

2）「対比」に注目する

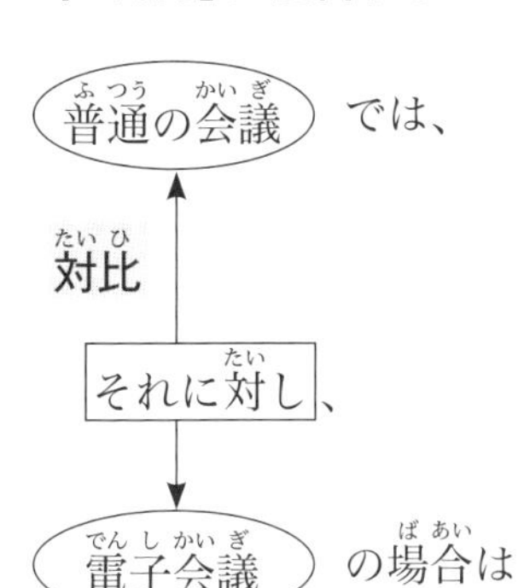

普通の会議では、

「周囲」が気になる。
だれか…が発言している間は、…意識が向かってしまう。
しかし、実はその間、思考のほうはストップしてしまいやすい。

それに対し、

電子会議の場合は

「周囲」を気にする必要がなく、自分の思考を止めずにほかの人の発言が聞ける。
その結果、新しいアイデアが浮かぶことが多いのである。

3）全体をまとめる

普通の会議では「周囲」が気になって、思考がストップしてしまいやすいが、電子会議では自分の思考を止めなくてもいいので、新しいアイデアが出やすくなる。

選択肢と比べよう

1：正解
2：周囲が気になるのは、普通の会議のほうである。
3：「会場に参加者が集まらなくてもいいことだが、それだけではない」と書かれている。
4：電子会議は考える時間が短いとは書かれていない。

- 普通の会議　電子会議　←「対比」になっている言葉に◯をつけておこう。
- 「それに対し」「一方」「反対に」などの対比を示す表現に注目しよう。
- 「しかし」「だが」「でも」「～が」などの逆接表現にも注目しよう。この後に筆者の言いたいことが書かれていることが多い。

1）［対比］ほかのものと比べる

◆段落がたくさんある長い文章でも、「対比」に注目すると、段落同士の関係がわかりやすくなる。「対比」に注目して、段落の関係を大きくまとめよう。

☆ 例題2　問いに対する答えとして最もよいものを一つ選びなさい。

もしただいま大恋愛の最中だったら、本など読むことをおすすめしない。とくに恋愛小説など、間違っても読んじゃいけない。たとえバルザックの『谷間のゆり』のような純愛小説の傑作をもってきても、トルストイの『アンナ・カレーニナ』のような不倫小説の傑作をもってきても、あなたが現に夢中でうちこんでいる恋愛の生なましい体験に比べたら、色あせてしまうにちがいないからだ。

また恋愛中の相手の恋人に、本の話など仕掛けてはいけない。たとえば遊園地に行って黙って恋人とジェット・コースターに乗って遊ぶことに比べたら、ずっと不毛なお喋りにすぎないからだ。

だがおなじ本を読むことでも、おなじ本の話でもいいからやってみたほうがいい。もしも恋愛が峠をこえたと思えたり、これは失敗だったと思えたりしたときには。

本には恋愛の終りや失恋の辛さを、もとに返す力はないが、あなたの恋愛の終りや失恋をもう一度、あなたが体験したよりもっと巨きく、もっと深く体験させてくれる力があるからだ。

（吉本隆明『読書の方法　なにを、どう読むか』光文社）

問い　この文章で筆者が最も言いたいことは何か。

1　恋愛しているときには、くだらないお喋りをするより、二人で本を読み、その話をするといい。

2　恋愛小説の傑作を読むと、いろいろ学ぶことができるから、恋愛中の人は、本を読んだほうがいい。

3　恋愛をしている人は本を読まないほうがいいが、恋愛が終りそうだと思ったら、より体験を深めるために、本を読むといい。

4　恋愛中の人は本を読む必要はないが、恋愛が終りそうだと思ったら、失恋の苦しさを和らげるために、本を読むといい。

全体をつかもう

1）キーワードからテーマを推測する

大恋愛、本、読む　→　テーマは、恋愛と読書？

2）「対比」に注目する

第１段落：もし…大恋愛の最中だったら、本など読むことをおすすめしない。

↓ 話が続く

第２段落：また 恋愛中の相手の恋人に、本の話など仕掛けてはいけない。

↕ 対比

逆接

第３段落：だが おなじ本を読むことでも、…本の話でも…やってみたほうがいい。

もしも恋愛が峠をこえたと思えたり、…失敗だったと思えたりしたとき には。

第４段落：本には…もっと深く体験させてくれる力がある からだ 。

理由

3）全体をまとめる

恋愛をしているときは、本を読んだり、恋人に本の話をしたりしないほうがいい。だが、恋愛が終わりそうなときや終わったときは、それをより深く体験できるので、本を読むといい。

選択肢と比べよう

1：恋愛をしているときには、本の話をするといいとは書かれていない。

2：恋愛小説の傑作を読むと、いろいろ学ぶことができるとは書かれていない。

3：正解

4：失恋の苦しさを和らげるために、本を読むのではない。

・「また」「だが」「しかし」「だから」などの接続表現、「～からだ」などの理由を示す表現は、段落の関係をつかむポイント。このような表現に □ をつけておこう。

1)［対比］ほかのものと比べる

◆大きな対比の中に、小さな対比がある文章もある。整理して考えよう。

☆ 例題3　問いに対する答えとして最もよいものを一つ選びなさい。

子供たちはよく「お父さんよりお母さんのほうがこわい」と言いますね。「お母さんは叱る人」というイメージが一般的になっているんじゃないでしょうか。父親が外に出て働いている場合、どうしても母親のほうが子供と接する時間が長くなります。だから、母親に叱る役割がまわってきやすいのです。それに、父親はあまり子供と一緒にいられないので、「子供に嫌われたくない」という気持ちが強くなります。それで、あまり叱ろうとしないのです。いつも叱ってばかりでは、母親は子育てが嫌になってしまいます。

ある専門家は、母親は「包む」役割、つまり優しく子供を受け入れる役目を持つのに対して、父親は「切る」役割、つまり厳しくルールを教える役割を持つべきだと言っています。父親が厳しく叱った後に、母親が子供をフォローしてあげるようにすると、親子の関係はよくなるそうです。子供を叱る必要があるときには、父親がその役割を引き受けてこそ子育てはうまくいくのです。

たしかに今は昔と違って、父親と母親の役割は固定的ではなくなってきました。現在、家庭における男女の役割分担は境界がなくなりつつあります。しかし、子育てに関してはこうした意見に耳を傾けたほうがいいのではないでしょうか。

問い　この文章で筆者が最も言いたいことは何か。

1　母親が子供を叱ったら、父親は、優しく接したほうがいい。
2　子育てでは、父親も母親も同じように子供を叱る役割を持つべきだ。
3　子育てでは父親は子供を叱り、母親はフォローするという役割分担をしたほうがいい。
4　父親は、叱るときに、子供の気持ちをよく聞くようにするべきだ。

全体をつかもう

1）キーワードからテーマを推測する

子供、お父さん（父親）、お母さん（母親）、叱る、役割　→　テーマは、子育て？

2）「対比」に注目する

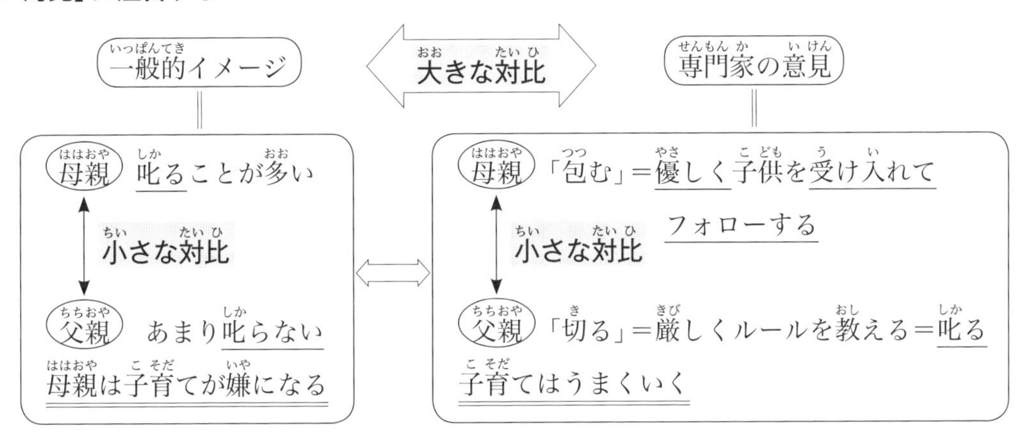

3）最後の段落に注目する

たしかに　←まず、ある意見を一部認める

「今は昔と違って、父親と母親の役割は固定的ではなくなってきました。」

しかし　←筆者の本当に言いたいこと

「子育てに関してはこうした意見に耳を傾けたほうがいいのではないでしょうか。」

（こうした意見＝専門家の意見）

4）全体をまとめる

現状では母親が子供を叱り、父親はあまり叱らないことが多い。しかし、専門家の意見では、父親が叱る役割をしたほうが、子育てはうまくいくという。専門家の意見を聞いたほうがいい。

選択肢と比べよう

1：父親が叱ったほうがいいと書かれている。

2：子育てに関しては、父親も母親も同じではなく、父親が叱る役割を引き受けたほうがいい。

3：正解

4：子供の気持ちをよく聞くとは書かれていない。

- 「一般的イメージ ←→ 筆者や専門家の意見」という「大きな対比」にも気づくこと。
- 「たしかに…。しかし～。」「もちろん…。しかし～。」などの表現には注意すること。

[対比]

練習1　問いに対する答えとして最もよいものを一つ選びなさい。

この前、教師の人と話していて、子供がTVゲームばかりして、友達同士遊ばないから困っているとぼやいていました。

TVゲームに対するもっとも一般的な批判です。僕はいつも、この批判を聞くと、それは正しいのだけれど、だけど、先生、あなた方だって、カラオケで盛り上がるでしょう、つまり、ゆっくり酒でも飲みはじめたら、誰のどんな批判が飛び出すか分からないから、その空間を避けるでしょう、もちろん、僕もそうですよ、スタッフや役者同士が酔っぱらって何を言いだすか分からない時は、カラオケに走るのがもっとも安全な方法ですから、と心の中で思ってしまうのです。

そして、子供は、そういう大人の生活の知恵を敏感に知っていて、友達の家に遊びに行って、何を話そうかと緊張する瞬間、ある者はTVゲームのスイッチを入れ、ある者は『スラムダンク』のコミックを手に取るのですよ、と思ってしまうのです。

（鴻上尚史『真実の言葉はいつも短い』光文社）

問い この文章の内容として最も適切なものはどれか。

1　子供がTVゲームをするのは、まだ子供たちだけでカラオケに行けないからだ。

2　子供がTVゲームをするのは緊張を避けるためで、大人がカラオケに行くのと同じだ。

3　子供がTVゲームをすることを批判するなら、大人もカラオケに行くべきではない。

4　子供がTVゲームをするのは、カラオケほど他人から批判されず、安全だからだ。

[対比]

練習2　問いに対する答えとして最もよいものを一つ選びなさい。

現在、学校の部活動や地域の少年スポーツチーム、クラブには、参加の意志(いし)さえあれば誰(だれ)でも参加できるようになっています。それでいて、万が一事故(じこ)が起こった場合は、現場にいる指導者や、施設(しせつ)管理者だけに責任があるかのように思われています。一般に、一つの部やクラブ、チームの部員数が30～40人くらいになることは、それほど珍しいことではありません。しかし、それだけの大人数の安全や健康状態(けんこうじょうたい)を完璧(かんぺき)に(注1)観察し、適切な判断をたったひとり、もしくは数人の指導者でおこなうことは不可能(ふかのう)に近いことです。

(佐保豊『日本のスポーツはあぶない』小学館)

(注1) 完璧(かんぺき)に：欠点が全くなく、完全に

問い　この文章で筆者が最も言いたいことは何か。

1　指導者は、指導中の事故(じこ)にもっと責任を持つ必要がある。

2　部員は、指導者に自分の健康状態(けんこうじょうたい)を報告する義務がある。

3　自分の意志(いし)で参加しているので、事故の責任は部員本人にある。

4　少人数の指導者や管理者で数十人の部員の安全を守ることはできない。

練習3　問いに対する答えとして最もよいものを一つ選びなさい。

人の嫌(いや)がる仕事を進んで引き受けたり、お年寄りやハンディキャップをもつ人を的確にお世話するボランティアの姿(すがた)を見ていると、「すごい。自分にはできない」と感じてしまう人は多いかもしれません。

でも、こうした行動や態度(たいど)は活動をしていくなかで徐々(じょじょ)に身についていくものです。ボランティアをしているのは特別、正義感(せいぎかん)が強いやさしい人ばかりというわけではありません。

ボランティアを始めた動機(どうき)に「おもしろそうだから、興味(きょうみ)があったから」と、好奇心(こうきしん)や探求心(たんきゅうしん)をあげる人はたくさんいます。責任をもって活動できるなら、きっかけは何でもいいのです。むしろ、「よいことをする！」という気負(きお)いがない分、自然体(しぜんたい)でボランティアに関(かか)われる人も多いのです。

(大勝文仁、山田由佳『自分スタイルのボランティアを見つける本』山と溪谷社)

［対比］

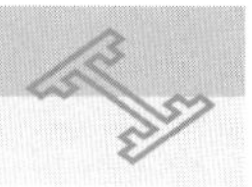

問い この文章で筆者が最も言いたいことは何か。

1　特別な人でなくても、責任感さえあれば、誰でもボランティア活動はできる。

2　お年寄りやハンディキャップをもつ人を的確に世話できる人は、ボランティア活動に向いている。

3　正義感や責任感はなくても、もっと気軽にボランティア活動に参加してほしい。

4　「よいことをする！」という気持ちが強くなければ、ボランティアはできない。

練習4　問いに対する答えとして最もよいものを一つ選びなさい。

近代以前の社会では、職業はおのずと定められていることが多く、選択の幅はきわめて小さかった。さらに、生まれて死ぬまで同じコミュニティ(注1)のなかで暮らす人が多かった。

それに対して近代社会では、人びとは自由に職業を選択できる。また国内ならば自由に移動することもできるし、自由に起業したり、趣味やボランティアのサークルをつくって活動することもできる。

つまり、近代社会では一人ひとりの「自由」という理念が大切にされ、さまざまな自由な活動が保証されている。そしてそれに対応して、社会の側も、不特定多数の人びとやモノや情報がさまざまに行き交う(注2)空間となっているのである。

（苅谷剛彦、西研『考えあう技術――教育と社会を哲学する』筑摩書房）

(注1)コミュニティ：地域社会

(注2)行き交う：行ったり来たりする

問い この文章で筆者が最も言いたいことは何か。

1　近代以前、人はずっと移動せずに暮らしてきたが、近代以降は移動の自由を得た。

2　近代社会では個人の自由が重視され、職業選択や移動等の活動も自由になった。

3　近代以前は自由がなかったため、近代社会の人びとはそれを非常に大切に考えている。

4　近代社会になって自由が保証されたが、人も情報も多すぎて社会が不安定になった。

[対比]

練習5　問いに対する答えとして最もよいものを一つ選びなさい。

知名度(ちめいど)の高い執筆者(しっぴつしゃ)ばかり適当に揃(そろ)えて一冊の雑誌をつくる編集は、たとえて言えば、インスタント食品(注1)をうまく使って食卓(しょくたく)を賑(にぎ)わす料理人みたいなものだ。失敗の危険は少ないかもしれないが、創(つく)る喜びは少ない。

そこへゆくと、まだ固いつぼみ(注2)を見つけ出して、これにあたたかい春の風を送り、花に育てる編集の仕事はそれ自体(じたい)がひとつの芸術である。そういうことの可能なエディターはそれほど多くいるとは考えられないが、すぐれた才能の開花(かいか)のかげにはきわめてしばしばこういう創造的(そうぞうてき)編集が存在するのではあるまいか。

(外山滋比古『新エディターシップ』みすず書房)

(注1) インスタント食品：ほとんど手間をかけずに簡単に食べられる食品

(注2) つぼみ：花がまだ咲かないで閉じている状態

問い　この文章で筆者が最も言いたいことは何か。

1　まだ有名でない執筆者(しっぴつしゃ)の才能が花開くかげには、優秀な編集者がいる。

2　雑誌をつくるということは、花を育てるように創造的(そうぞうてき)で芸術的な仕事である。

3　簡単につくられた雑誌より、時間をかけて編集された雑誌のほうが内容が良い。

4　優秀(ゆうしゅう)な才能を持つ編集者がいれば、より良い雑誌がつくれるようになる。

2）［言い換え］ほかの言葉で言い換える

◆「ある言葉や文」を、「同じ意味のほかの言葉や文」に変えて書いたり、「具体的な例」などで説明したりすることがある。これを「言い換え」という。
言い換えて説明していることは、大事なポイントであることが多い。
「問い」の選択肢」も、本文とは違う表現で言い換えられていることが多いので注意しよう。

◇◇

☆ 例題4　問いに対する答えとして最もよいものを一つ選びなさい。

数学者アインシュタインや、作曲家モーツァルトは、ただ一つの能力に恵まれているから「天才」なのではない。方向が全く異なる二つの能力を持っているから「天才」なのだ。つまり、物事の細かい部分を詳しく見る能力と、物事の全体像を大きくつかむ能力を持ちあわせているのである。物事の詳細な部分を見ていこうとするのは職人的、全体像をつかもうとするのは学者的な見方と言うこともできる。この二方向の能力をどちらも身につけていることが重要な意味を持つ。

問い　この文章の内容として最も適切なものはどれか。

1　人は、職人的な見方、学者的な見方という二方向の能力を身につけるべきだ。
2　優れた能力は「天才」だけが持っているというわけではない。
3　「天才」には 物事の全体像を大きくつかむ能力がある。
4　「天才」は異なる二方向の能力を持ちあわせている。

全体をつかもう

1）キーワードからテーマを推測する

能力、「天才」 → テーマは、天才の能力？

2）「言い換え」に注目する

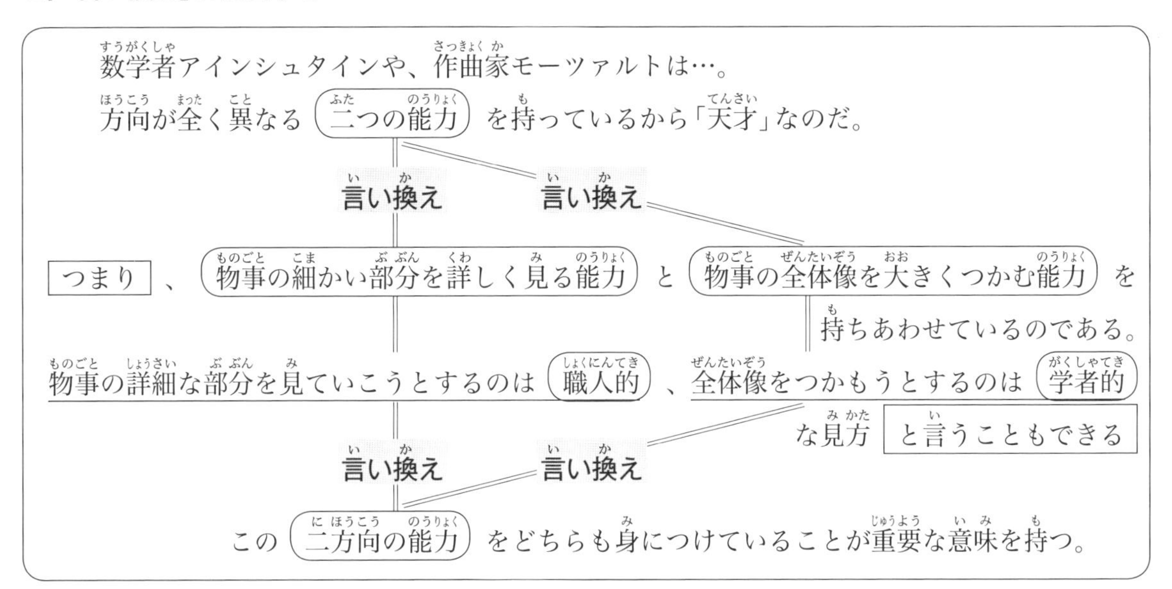

3）全体をまとめる

「天才」は、物事の細かい部分を詳しく見る（＝職人的）能力と、物事の全体像をつかむ（＝学者的）能力という、方向が異なる二つの能力をどちらも持っている。

選択肢と比べよう

1：身につけるべきだとは書かれていない。

2：天才でない人については書かれていない。

3：全体像を大きくつかむ能力だけでは足りない。

4：正解

- 「言い換え」になっているところは、＝＝ などでつなごう。
- 「つまり」「すなわち」など、言い換えの接続表現に注目。□ をつけよう。
- 「（A）を（B）と言う／呼ぶ」などの表現は「言い換え」。

2)［言い換え］ほかの言葉で言い換える

☆ **例題5**　問いに対する答えとして最も適切なものを一つ選びなさい。

江戸時代以前、人々の普段の生活はとても単調で、毎日ほぼ同じ事の繰り返しだった。特に農村は娯楽もほとんどなく、食生活も貧しかった。白米や酒は贅沢品で、めったに口にすることができなかった。しかし、正月や祭り、結婚式などは特別な日だった。この日だけは白米や餅を食べ、たっぷりの酒を飲む。いい着物を着て、歌や踊りに興じる。このような「非日常」を思い切り楽しむことで、人々は「日常」のつらさを忘れることができた。

民俗学者の柳田國男は、このような特別な場面を「ハレ」、それ以外の毎日の生活を「ケ」と名付けた。昔は「ハレ」と「ケ」がはっきりと分かれていて、それが人々の生活にリズムを与えていたと考えたのである。

では、現在はどうか。もちろん結婚式などは今でも人生で特別な場面であろう。しかし、近代化が進んだ結果、昔は特別な日にしかできなかったこと——おいしい物を食べたり、綺麗な服を着るなどということは、すっかり普通のことになった。TVだ映画だカラオケだと、娯楽も日常化している。現代は「ハレ」と「ケ」の境界があいまいになっているのである。

問い　この文章の内容として最も適切なものはどれか。

1　昔は「日常」と「非日常」がはっきりと分かれていたが、今はその差があまりわからなくなっている。

2　昔の生活は単調でおもしろくなかったが、今は豊かになって日常生活も楽しいものとなっている。

3　結婚式やお正月は昔は「非日常」の場面だったが、現在では「日常」になってしまっている。

4　現代の人々も、昔のように「ハレ」と「ケ」をはっきりと分けて生活しなければならない。

全体をつかもう

1）キーワードからテーマを推測する

「非日常」、「日常」、「ハレ」、「ケ」　→　テーマは、「非日常」と「日常」？

2）「対比」に注目する

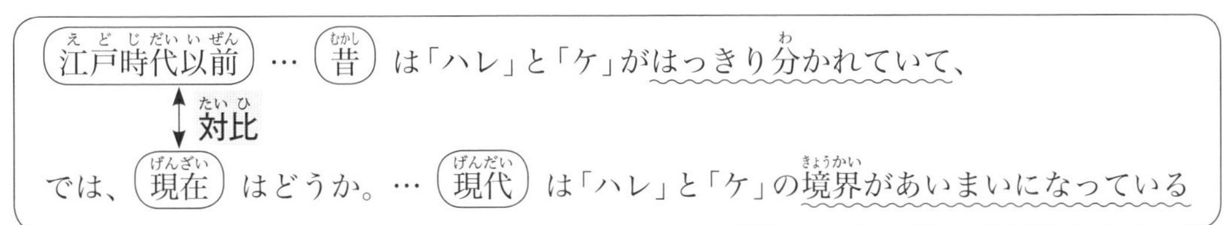

3）「言い換え」に注目する（「ハレ」と「ケ」の意味を確認する）

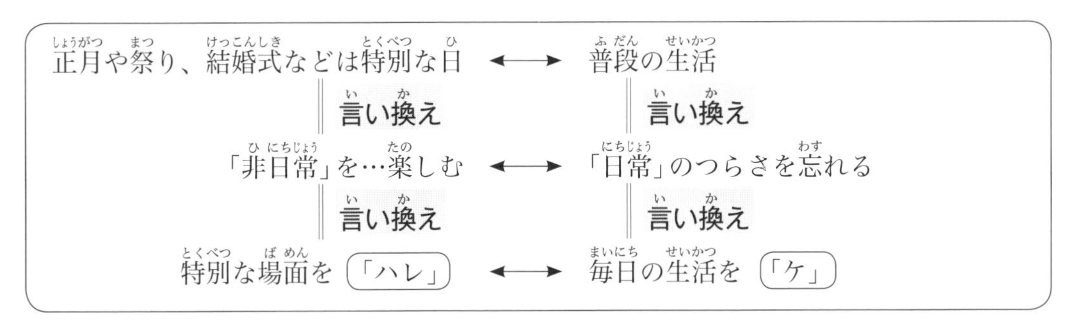

4）全体をまとめる

江戸時代以前は、「ハレ」（＝非日常）と「ケ」（＝日常）がはっきり分かれていた。

現代は、その境界があいまいである。

選択肢と比べよう

1：正解

2：昔の生活がおもしろくなくて、今の生活が楽しいということではなく、「ハレ」と「ケ」が今の生活ではっきり分かれていないことが最も重要な点である。

3：結婚式は「今でも人生で特別な場面」と書かれている。

4：分けて生活しなければならないとは書かれていない。

[言い換え]

練習6　問いに対する答えとして最もよいものを一つ選びなさい。

わたしたちはふつう、視野(しや)に入っているものはみんな見ている、と思いやすいのですが、視野に入っていても注意していなければ見えないものです。普段でもそうです、自分が足を怪我(けが)すると、町の中には足を怪我した人が思いの外(ほか)に多いことに気がつきます。よく若者(わかもの)が電車に乗って老人に席を譲(ゆず)らないといいますが、あれは老人は網膜(もうまく)の上には映っていても、意識のアンテナが働いていないのだと思います。若者には同世代(せだい)の若者がよく目についたのは、自分の経験からも分かります。

（安野光雅『絵のある人生』岩波書店）

問い　この文章の内容として最も適切なものはどれか。

1　若者(わかもの)が老人に席を譲(ゆず)らないのは、老人が視野(しや)に入っていないからである。

2　若者は同世代(せだい)の若者に対してだけ意識のアンテナを働かせているのである。

3　目に入ったものでも、意識を働かせていないと、実は見えていないのである。

4　我々(われわれ)は、何に対してでも、意識のアンテナをよく働かせなければならない。

[言い換え]

練習7　問いに対する答えとして最もよいものを一つ選びなさい。

ニュースの価値や情報を決めるのは、客観的な基準やデータだけではなく、たまたまそのニュースを担当した人の感情や好き嫌いが大きく働いている。この「感情や好き嫌い」は、「主観」と言い換えることもできる。客観の反対。つまりテレビのニュースや新聞の記事は、何を報道するかしないか、何をニュースにするかしないかを決めるその段階で、もう客観的などというレベルではない。

（森達也『世界を信じるためのメソッド　ぼくらの時代のメディア・リテラシー』イースト・プレス）

問い　この文章で筆者が最も言いたいことは何か。

1　ニュースは、その内容を選択する時点から報道する側の主観が入っている。

2　ニュースの価値は、それが客観的であるかどうかによって決まる。

3　ニュースの担当者は、自分の感情や好き嫌いに気をつけるべきだ。

4　ニュースは、客観的な基準を気にせず、主観的に報道すればよい。

[言い換え]

練習８　問いに対する答えとして最もよいものを一つ選びなさい。

人間は何であれ、自由が好きです。「自由」とは「自分勝手(注１)」と考えてもらってもいいでしょう。人間は自分勝手を好みます。だが、他人の勝手になることを嫌います。憎みます。誰もが自分勝手に振る舞おうとすると、他人の勝手と衝突します。自分の勝手を通そうとすると、他人の勝手を押しとどめなければなりません。またどんなに自分の勝手を押し通そうとしても、相手のほうが強力ならば、相手の勝手に押さえ込まれてしまうことになります。「自由」になろうと思うと、やっかいだということがわかるでしょう。

（鷲田小彌太『考えることが苦手な人たちへ　10代からのプチ哲学のすすめ』こう書房）

（注１）自分勝手：他人のことは考えず、自分の思いどおりに行動すること。

問い この文章で筆者が最も言いたいことは何か。

1　人は皆自由になりたいと考えるが、自分勝手な行動はやめなければならない。

2　人は何かをさせられるのは嫌だが、完全に自由になることを好むわけでもない。

3　人が各人の自由を勝ち取るためには、ほかの人と衝突することが重要である。

4　人は皆自由になりたいと考えるが、他人と衝突するので大変だ。

[言い換え]

練習9 問いに対する答えとして最もよいものを一つ選びなさい。

できる人と思わせるためには下準備が必要である。しかし、実は最大の下準備は、何といっても「自分を知る」ことである。

というのは、できないものをできるように見せるのはかなり難しいが、自分の長所を前面に出せば、できるように見せるのはそう難しくないということがある。もう一つは、人間というのは、よほど嫌(きら)いな相手でない限り、相手の短所より長所のほうに目が行くよう出来ていることが、さまざまな心理実験で明らかにされている。いわゆる「隣(となり)の芝生(しばふ)は青い」現象である。

だから、欠点を隠(かく)そうとするより、長所を目立つようにしたほうが、できる人に見えるのだ。現実に、社会のほうも、欠点のない何でも屋のような人間より、多少欠点はあっても、長所の抜(ぬ)きん出た人間のほうを重用(ちょうよう)するようになってきている。

(和田秀樹『趣味・教養を「武器」に変える 和田秀樹の " 最終最強 „ 知的生産術』毎日新聞社)

問い この文章で筆者が最も言いたいことは何か。

1 自分をよく分析(ぶんせき)し、欠点が目立たないようにすれば、他人からできる人と思われる。

2 周囲の人に自分の長所も短所も理解してもらえば、できる人と思ってもらえる。

3 できる人と思われるには、何かをするとき、十分に準備し、欠点を補う必要がある。

4 できる人と思われるには、自分の長所を周りの人によくわかるようにするのがよい。

3)［比喩］ほかのものにたとえる

◆比喩とは、難しいことを私たちがよく知っている日常的なことに置き換えて（＝たとえて）、わかりやすく説明することである。
本文に、それまでの内容と全く関係のない言葉が突然出てきたら、比喩を使っているかもしれない。何を何にたとえているかしっかりつかもう。

◇◇

☆ 例題6　問いに対する答えとして最もよいものを一つ選びなさい。

　スポーツをやる目的やかかわり方は種々多様である。オリンピックで金メダルを争うような熾烈なスポーツもあれば、勝敗はともかくみんなで楽しく遊べばよいというスポーツもある。健康のために、あるいはレクリエーションのためにというスポーツのある一方で、スポーツが仕事というプロスポーツも存在している。しかしやり方や目的は違え、どれもスポーツであることには変りはない。（中略）

　レベルは違ってもスポーツはスポーツなのであり、そのレベルから少しでもうまくなり、強くなろうとするやり方は基本的には違いのないものである。頂点に通じる長い山道のどこを歩いているかの違いであり、けわしさや空気の薄さは上にいくほどつらくはなるが、歩いて進むことや歩き方には変りはない。そしてどこで立ち止まっても山の空気は新鮮で、景色は美しい。その人その人によって、どの高さで楽しんでもいいものだし、そうして誰にでももう少し高く登ってみたいと思わせるのがスポーツというものなのである。

（浅見俊雄『スポーツの科学』東京大学出版会）

問い この文章で筆者が最も言いたいことは何か。

1　登山は、どんな人でも楽しむことができ、誰もがより高いところを目指そうとする。
2　登山というスポーツは、上にいくほど苦しくなるが、どこにも楽しさはある。
3　スポーツとは、どのレベルでも楽しさがあり、少しでも上達したいと思うものである。
4　スポーツにはさまざまなレベルがあるが、楽しくないものはスポーツではない。

全体をつかもう

1）キーワードからテーマを推測する

スポーツ、山道、けわしさ、高さ　→　テーマは、スポーツの話？　山登りの話？

2）「比喩」に注目する

第１段落：

オリンピックを目指すスポーツも、健康や楽しみのためのスポーツも同じスポーツである。

第２段落：

スポーツ全般の話から、山道の話になる。

山登りはスポーツの比喩。山登りの話を通じて、スポーツについて何を言いたいか考える。山登りについて書かれている文章をスポーツに置き換えてみる。

〔山登り〕		〔スポーツ〕
頂点に通じる長い山道	→	上達の過程
けわしさ　空気の薄さ	→	練習の厳しさ、つらさ
山の空気は新鮮　景色は美しい	→	楽しさ
高さ	→	レベル
高く登ってみたい	→	上手になりたい

3）全体をまとめる

上達のための練習の厳しさ、つらさ（＝けわしさ、空気の薄さ）はそれぞれ違う。しかし、どのレベルでも楽しめるし（＝山の空気は新鮮）、上達しよう（＝高く登ろう）と思わせるのがスポーツである。

選択肢と比べよう

１：登山は比喩で、この文章のテーマではない。

２：登山は比喩で、この文章のテーマではない。

３：正解

４：楽しくないものはスポーツではないとは書かれていない。

練習10　問いに対する答えとして最もよいものを一つ選びなさい。

雨が降れば傘をさす。傘がなければ風呂敷でもかぶる。それもなければぬれるしか仕方がない。

雨の日に傘がないのは、天気のときに油断して、その用意をしなかったからだ。雨にぬれて、はじめて傘の必要を知る。そして次の雨にはぬれないように考える。雨があがれば、何をおいても傘の用意をしようと決意する。これもやはり、人生の一つの教えである。

わかりきったことながら、世の中にはそして人生には、晴れの日もあれば雨の日もある。好調の時もあれば、不調の時もある。にもかかわらず、晴れの日が少しつづくと、つい雨の日を忘れがちになる。好調の波がつづくと、ついゆきすぎる。油断する。これも、人間の一つの姿であろうか。

（松下幸之助『道をひらく』PHP 研究所）

問い この文章の内容として最も適切なものはどれか。

1　雨の日に傘を持っていないのは、つい油断してしまうからである。

2　人生がうまく行っている時は、悪い時に備える心を忘れがちだ。

3　人は、雨があがると、いつもつい傘をどこかに忘れて来てしまう。

4　人生が好調な時は晴れの日が続くので、傘を準備しておく必要はない。

練習11　問いに対する答えとして最もよいものを一つ選びなさい。

足が速い人は、生まれつき速い。遅い人は、生まれながらにして遅い。特に短距離走はポテンシャルの勝負——。

そう思っている方が多いでしょうし、私もつい数年前まではそう思っていました。そして、ある面ではやはりその通りなのです。生まれ持った骨格や腱、筋肉などの質によって、足の速さはかなりの部分まで決まってしまいます。

車と同じで、エンジンの性能を超えた走りはできません。

ただし、多くの人は、性能を限界まで引き出していないのです。また、エンジンの性能がアップしなくても、タイヤを履き替えたり、運転テクニックを上達させたりと、スピードをアップさせる方法はほかにいくらでもあるのです。

（為末大『日本人の足を速くする』新潮社）

[比喩]

問い この文章で筆者が最も言いたいことは何か。

1　車の速さは、エンジンの性能によって決まる。

2　足が速いか遅いかは、生まれながらにして決まっている。

3　車のスピードをアップさせる方法は、いろいろある。

4　足が遅いと思っている人も、工夫すればもっと速くなれる。

練習12　問いに対する答えとして最もよいものを一つ選びなさい。

なんかの本で読んだ話。ある山の麓(ふもと)(注1)で、おじいさんと孫が、山鳩(やまばと)(注2)の雛(ひな)(注3)を育てていた。その山の反対側に、別のおじいさんと孫がいて、こっちは鷹(たか)(注4)の雛を育てていた。それぞれの雛が成長して、飛べるようになったんで、ある日、空に放してやった。そしたら、鷹が山鳩を食べてしまった。山のこっち側では、山鳩が喰(く)われたって泣いた。向こう側では、鷹がはじめて餌(えさ)を獲(と)ったって喜んだ。ひとつの現象なのに、山のこっちと向こうでは、まるっきり正反対のことが起きたってことになる。

妙(みょう)な話だけど、人生の喜びや悲しみは、根本的(こんぽんてき)にそういうものだ。この世で起きることには、本来、何の色も着いていない。

そこに、喜びだの悲しみだのの色を着けるのは人間だ。

（北野武『全思考』幻冬舎）

（注1）麓(ふもと)：山の下の部分

（注2）山鳩(やまばと)：山に住む鳥

（注3）雛(ひな)：鳥の子供

（注4）鷹(たか)：肉食の鳥で、山鳩より大きい

問い この文章の内容として最も適切なものはどれか。

1　住んでいるところが変われば、同じ現象でも違って見えるものだ。

2　人生にうれしいことも悲しいこともあるのは、しかたがないことだ。

3　いくら人が喜んだり悲しんだりしても、起きたことはどうすることもできない。

4　世の中で起きる物事は、立場によって見え方や意味が変わってくる。

4)［疑問提示文］疑問文を使って話題を提示する

◆疑問提示文とは、これから何について述べるかを、疑問文を使って示している文である。疑問の答えを探そう。

種類：疑問詞疑問文（「なぜ・どうして・いつ・どこで・どのようにして…」がつく。）

Yes-No疑問文（疑問詞はない。文末が「～だろうか。」「～(の)か。」）

◇◇

☆ 例題7　問いに対する答えとして最もよいものを一つ選びなさい。

リーダーたるもの、必要であればメンバーを怒ることからも逃げてはならない。締めるところを締めてこそチームの結束も強まるものだ。

ではリーダーは、メンバーの何を怒ればいいのか。

いちばん最悪なのは、相手の人格を否定する怒り方だ。「だからお前はダメなんだ！」などと怒鳴っても、ことは何ひとつ進展しない。怒るのはあくまでも、仕事への取り組みについてであるべきだ。

とはいえ仕事のミス自体を「何をしているんだ！」とただ叱咤(注1)するのもいただけない。リーダーならばメンバーのミスについては、なぜミスが起きたのかをまず分析したい（この点は後述する）。

リーダーが本気で怒るべきは、メンバーの仕事に対する「意識」や「姿勢」に甘さが見えたときだ。

たとえば、ある人が同じミスを何度も繰り返したときや、周りに協力を仰がねばならないのに本人が消極的なとき。口だけで行動がともなっていないときや下を育てる立場にいながら、後輩の力不足を嘆いているだけのとき（そこを伸ばすのが自分の使命だとわかっていない）。（中略）

もちろん怒れば自分自身も気分はよくないし、相手もいったんは完全にしょげてしまう。だが、あなたが手を抜かずに本気で怒れば、相手もあなたの想いを汲み取って必ず奮起して(注2)くれる。

（藤巻幸夫『フジマキ流　アツイチームをつくる　チームリーダーの教科書』インデックス・コミュニケーションズ）

（注1）叱咤：大声で叱る

（注2）奮起する：やる気を出す

問い　この文章で筆者が最も言いたいことは何か。

1　リーダーはメンバーの取り組んでいる仕事におけるミスだけを取り上げて怒るべきだ。

2　リーダーはメンバーの仕事に対する取り組みに真剣さが足りないことを怒るべきだ。

3　リーダーはメンバーの、消極的とか、そそっかしい等の性格について怒るべきだ。

4　リーダーは、メンバーが怒られた後がっかりして立ち直れなくなることを怒るべきだ。

全体をつかもう

1）キーワードからテーマを推測する

リーダー、メンバー、怒る、「意識」、「姿勢」

→　テーマは、リーダーがメンバーを怒ること？

2）「疑問提示文」に注目する

「疑問提示文」とその答えを探す。

疑問提示文：**第２段落**「リーダーは、メンバーの何を怒ればいいのか。」

答え：

第３段落：相手の人格　→　最悪
第４段落：仕事のミス自体　→　いただけない（＝よくない）
第５段落：仕事に対する意識・姿勢に甘さ　→　本気で怒るべき

3）全体をまとめる

リーダーは、メンバーの仕事に対する意識・姿勢に甘さが見えたとき、本気で怒るべきだ。

選択肢と比べよう

1：リーダーなら「なぜミスが起きたのかをまず分析したい」と書かれている。

2：**正解**（仕事に対する取り組みに真剣さが足りない＝意識や姿勢が甘い）

3：「人格を否定する怒り方」は「最悪」だと書かれている。

4：立ち直れなくなることを怒るべきとは書かれていない。本気で怒れば「必ず奮起」すると書かれている。

[疑問提示文]

練習13　問いに対する答えとして最もよいものを一つ選びなさい。

今の日本人の欲望は留(とど)まるところを知りません。常に新しい物を欲しがる。美味(おい)しい物ばかりに目移(めうつ)りする。身(み)の丈(たけ)(注1)以上の生活を求め続けている。そして子供には過度(かど)の期待をかけ、能力以上の成果を望む。果たしてそこに本当の幸福があるのでしょうか。

ほんのつい最近まで、日本人は身の丈に合った慎(つつ)ましい(注2)生活を送っていました。少なくとも私が幼少(ようしょう)の頃(ころ)はそうでした。背伸(せの)びをすることなく、不満を口にすることなく、慎ましい暮らしの幸せを感じていました。

かつてのような貧しい暮らしが良いというのではありません。ただ、身の丈に合わない生活には、きっと大きな落(お)とし穴(あな)がある。そんな気がするのです。

(山田洋次「わたしの幸福論」『PHP No.679』PHP研究所)

(注1) 身(み)の丈(たけ)：身長

(注2) 慎(つつ)ましい：ぜいたくでない

問い この文章で筆者が最も言いたいことは何か。

1　昔は貧しかったが、今は欲しい物が何でも手に入り、現代の日本人は幸福である。

2　少し前まで日本人は貧しい暮らしをしていて、あまり幸福とは言えなかった。

3　今の日本人は背伸(せの)びして良い生活を求めているが、それでは幸福になれないだろう。

4　筆者が子供の頃(ころ)は、自分の生活に満足しながら生活していて、幸福だった。

[疑問提示文]

練習14　問いに対する答えとして最もよいものを一つ選びなさい。

みなさんは、そもそも何のために文章を書くのでしょうか。

もし、私自身が同じ質問を受けたら、「自分を表現し、他者(たしゃ)と関(かか)わりながら生きていくため」と答えます。学校の教科書や参考書をいくら読んでも、それだけでは他者との関わりは生まれてきません。知識として知ることと他者と関わるということは、質的(しつてき)に全く別次元(じげん)のことだからです。知識をいくら積(つ)み重(かさ)ねても、他者と関わることは永遠にできないでしょう。

理解し感動したことや一生懸命(いっしょうけんめい)に考えたことを、拙(つたな)くても(注1)いいから、試行錯誤(しこうさくご)(注2)しながらでもいいから、誰(だれ)かにきちんと「伝える」練習をしてみましょう。それは、きっと社会に働きかけ、他の人々と共に生きていく練習にもなるでしょう。「書く」という行為(こうい)は、静かに自分の内面(ないめん)を見つめることでありながら、同時に社会に向けて行動する第一歩にもなり得るのです。

（原和久『創作力トレーニング』岩波書店）

(注1) 拙(つたな)い：下手だ

(注2) 試行錯誤(しこうさくご)：いろいろやってみて失敗しながら目的に近づいていくこと

問い この文章で筆者が最も言いたいことは何か。

1　書くときには「何のために文章を書くのか」をよく考えることが大切だ。

2　書くことは、誰(だれ)かにきちんと「伝え」、社会に向けて行動することにつながる。

3　教科書や参考書で勉強しても、知識が増えるだけで、書くことは上手にならない。

4　書くことによって人は成長し、自分の内面(ないめん)を見つめられるようになる。

[疑問提示文]

練習15　問いに対する答えとして最もよいものを一つ選びなさい。

日本で生活している留学生の多くが、「日本人は家族の関係が薄い」という感想を抱くようだ。一人暮らし（ひとりぐ）をしている大学生があまり家族と連絡をとらないことや、老人ホームなどの施設（しせつ）で暮らすお年寄りが多いことなどから、そう感じるらしい。「経済が発展した結果、昔は強かった家族の人間関係が、だんだん薄く、冷たくなったのだ」という意見もよく聞く。本当にそうなのだろうか。

ある全国調査によると、「あなたにとって何がいちばん大切ですか」という質問に対して「家族」と答えた人の割合は、1978年が23％、1988年が33％、1998年が40％、2008年が46％だった。家族がいちばん大切だと言う考えの人が30年で倍になったことがわかる。

一方、「職場の同僚（どうりょう）とのつきあい」「隣（となり）近所の人とのつきあい」「親（しん）せき」について、「相談したり助けあったりできる関係」にあることが望（のぞ）ましいかどうかを聞いたところ、すべての項目（こうもく）において、「望ましい」と答える人の割合は減少傾向にあった。

問い　この文章の内容として最も適切なものはどれか。

1　職場や地域、親（しん）せきとのつきあいは薄れているが、家族関係を重視（じゅうし）する人の割合が高まっている。

2　経済発展（はってん）をしても、家族関係や、職場や地域、親せきとの関係の強さはあまり変わっていない。

3　年とともに、職場や地域、親せきとの関係は強（つよ）まりつつあるが、家族を大切に思う人の割合は増えていない。

4　家族関係だけでなく、職場や地域、親せき関係を重視する人の割合もすべて低下してきている。

[疑問提示文]

練習16　問いに対する答えとして最もよいものを一つ選びなさい。

目の前の相手が悲しんでいるとき、その自分の感情を思い出していただきたい。同情(どうじょう)とか、共感(きょうかん)とか、力になってやりたいといった気持ちが起こるだろう。また、人に親切にしたときや贈り物をしたときなど、相手がうれしそうな表情やしぐさをして、喜んでいるとわかれば、自分もうれしくなるだろう。このようにして相手の感情がわかり、それに対して共感する気持ちが生まれれば、それは相手に対する好感情につながる。

だが、喜んでいるのか悲しんでいるのか、さっぱりわからない人の場合はどうだろうか。その人にどう接(せっ)していいかわからず、共感する気持ちもわかない。なんとなく敬遠(けいえん)(注1)したくなるのではないだろうか。(中略)

とくに若い世代は、感情を表にあらわさない人に対して、「わからない人」という評価(ひょうか)を下し敬遠しがちだ。そのため、人と話すときに自分の感情をうまくあらわせない少年少女は、クラスメートたちから仲間(なかま)はずれにされやすく、ときにはいじめられっ子になったりもする。感情をうまく表にあらわせない人は、対人関係が悪くなりやすいのである。

(本明寛『なぜ電車の席は両端が人気なのか――行動の心理学』双葉社)

(注1) 敬遠(けいえん)：嫌(いや)がって避(さ)けること

問い この文章で筆者が最も言いたいことは何か。

1　相手の感情がわからない人は、仲間(なかま)はずれにされたりいじめられたりする。
2　自分の感情を相手に対して上手に出していけば、良い人間関係を作りやすい。
3　目の前にいる人が自分の気持ちに共感(きょうかん)してくれないと、その人との関係が悪くなる。
4　感情を表に出さない人より、表に出す人のほうが人間関係で問題が起きやすい。

5)［主張表現］自分の意見であることを示す

◆筆者の主張（意見）が書かれている文は、主張表現が使われることが多い。

「〜と思う」「〜べきだ」「〜だろう」「〜なければならない」「〜てはいけない」「〜のではないか*」などがよく使われる主張表現である。

筆者が何を高く、何を低く評価しているかを読み取ることも大切である。

*「〜のではないか」は、疑問提示文にも使われるが、主張表現でも使われる。

◇◇

☆ 例題8　問いに対する答えとして最もよいものを一つ選びなさい。

かなり前のことですが、若い友人の作家がぼくにピアノを習いませんか、とすすめたことがありました。

「五木さん、ごらんなさい。ピアニストはみんな驚くほど長命でしょう？　それにいつまでもボケません。あれは両手の指を同時に動かすことが肉体と精神にすばらしくよいということの証拠なんです」

ぼくは彼の言葉には賛成でしたが、今さらバイエル(注1)をさらう(注2)気もせずに笑って辞退しました。

しかし、彼の言葉は正しいと思います。ピアノだけではない。絵を描く人だって、ロクロをひく(注3)人だって、みんな長生きで元気です。ことに彫刻家はすごい。

手を使って何かをすることは、人間にいい影響をおよぼすんですね。しかし、それだけではないんじゃないか。

手を使うだけでなく、手がよろこんでいることが大事だとぼくは思うのです。ピアノを弾くことは指にとってもよろこびです。彫刻も創造的な作業です。絵を描くのも、ロクロをひくのも、みんな創造的なよろこびがある作業です。

ただ指を運動させる、ということとは少しちがうものがそこにはありはしないか。トレーニングとして機械的に指の訓練をすることも悪くはないでしょう。しかし、それだけでは何かがたりない。そうです。よろこびをともなってこそ、指は人の生命をいきいきとよみがえらせるのだと思います。

（五木寛之『生きるヒント—自分の人生を愛するための12章—』角川書店）

(注1) バイエル：ピアノの初級テキスト

(注2) さらう：復習、練習する

(注3) ロクロをひく：円形の道具を回して茶わんや花瓶などを作る

問い この文章で筆者が最も言いたいことは何か。

1　芸術家は両手の指をいつもよく動かしているので、長生きである。

2　機械的に指を動かしていれば、創造的（そうぞうてき）な仕事が生まれ、長生きすることもできる。

3　指を動かすことが人にいい影響（えいきょう）を与えるには、それにともなうよろこびが必要である。

4　指のトレーニングをすることは、人の肉体と精神にいい影響をおよぼす。

全体（ぜんたい）をつかもう

1）キーワードからテーマを推測（すいそく）する

ピアノ、指（ゆび）、手（て）　→　テーマは、手（て）を使（つか）うこと？

2）「主張表現（しゅちょうひょうげん）」に注目（ちゅうもく）する

第（だい）4段落（だんらく）：…正（ただ）しいと思（おも）います。
第（だい）5段落（だんらく）：それだけではないんじゃないか。
第（だい）6段落（だんらく）：…大事（だいじ）だとぼくは思（おも）うのです。
第（だい）7段落（だんらく）：…はしないか。…でしょう。…てこそ…のだと思（おも）います。

3）「対比（たいひ）」に注目（ちゅうもく）して主張（しゅちょう）を追（お）う

（**第（だい）1〜3段落（だんらく）：**ピアノをすすめられた体験（たいけん））
第（だい）4〜5段落（だんらく）：手（て）を使（つか）って何（なに）かをすることは、人間（にんげん）にいい影響（えいきょう）をおよぼす…。
↕　しかし 、それだけではないんじゃないか。
第（だい）6〜7段落（だんらく）：手（て）がよろこんでいることが大事（だいじ）…。
よろこびをともなってこそ、指（ゆび）は人（ひと）の生命（せいめい）を…よみがえらせる…。

4）全体（ぜんたい）をまとめる

指（ゆび）を動（うご）かすことは人間（にんげん）にいい影響（えいきょう）をおよぼすが、ただ動（うご）かすだけではたりない。

よろこびをともなう作業（さぎょう）であることが必要（ひつよう）だ。

選択肢（せんたくし）と比（くら）べよう

1：芸術家（げいじゅつか）の話（はなし）は例（れい）で、筆者（ひっしゃ）の言（い）いたいことではない。

2：機械的（きかいてき）にではなく、創造的（そうぞうてき）なよろこびをともなって指（ゆび）を動（うご）かすことで、長生（ながい）きできる。

3：正解（せいかい）

4：機械的（きかいてき）に指（ゆび）のトレーニングをするだけではいい影響（えいきょう）を与（あた）えない。

練習17　問いに対する答えとして最もよいものを一つ選びなさい。

日本では、人気の美術展に行くと一番混んでいるのが、入り口の作家の略歴とか解説ボードの前です。入場者はまずここで作家の立派な略歴や作品のすばらしさという能書き(注1)のシャワーをあびて、その通りありがたく鑑賞するのです。そんな人が次に立ち止まるのは教科書に出ている名画とかパンフレットに掲載された作品の前で、見終わった後には話題の「○○展」を見てきましたという事実が残るだけです。これでは本当の鑑賞ではなく、単に決められた通りの観光コースを見学してきただけの旅行者と同じです。

評価の定まった作家、人気の作品というのは当然専門家が選んだものであり、その意味で価値のあるものには違いないのですが、それでは単なる追体験に過ぎません。自ら主体的に鑑賞したいならば、まず入り口の略歴とか作品の解説を見る前に作品そのものを観てまわり、自分が好きな作品があったら解説を読み、最後に略歴などをみて理解を深めるという見方をしてみてはどうでしょうか。

(山本冬彦『週末はギャラリーめぐり』筑摩書房)

(注1)能書き：薬などの効果を示したもの。ここでは、優れた点を並べた言葉

問い　この文章で筆者が最も言いたいことは何か。

1　美術展にある、作家の紹介や解説は役に立つもので、旅行の観光コースでただ見ていただけの絵が、より深く理解できる。

2　美術展を主体的に見るために、まず作品を観てから、好きな作品の解説を読み、略歴を読むことをすすめる。

3　美術展では、自分の感受性で気に入った作品を観るべきであり、作家の紹介や解説などは見る必要はない。

4　美術展では、入り口の解説の前は混んでいるため、先に作品を観て、次に解説を読み、略歴で理解を深めるほうが効率的である。

[主張表現]

練習18　問いに対する答えとして、最もよいものを一つ選びなさい。

文章には音楽と同じようにリズムがあります。音楽があるテンポで演奏(えんそう)されなければ音楽として聞こえないように、読書もしかるべきスピードで読まないと知識として脳に入ってこないのです。僕(ぼく)は「速読(そくどく)(注1)法(ほう)」という読書方法をあまり評価(ひょうか)していません。

速読とはたとえるなら、「ベートーベンの第五シンフォニーを五分で演奏してしまおう」ということに相当します。しかし、そんなことをすればどんなに素晴(すば)らしい楽曲(がっきょく)でも音楽として成立しません。

文学もそれと同じこと。夏目漱石(なつめそうせき)(注2)の『坊(ぼっ)ちゃん』を十分程度でパッパッと読んでしまったら、脳の中で行われる情報処理(じょうほうしょり)としては、浅いものにならざるを得(え)ません。

(茂木健一郎『「読む、書く、話す」脳活用術　日本語・英語学習法』ＰＨＰ研究所)

(注1) 速読(そくどく)：速いスピードで本を読むこと

(注2) 夏目漱石(なつめそうせき)：明治時代の小説家

問い この文章で筆者が最も言いたいことは何か。

1　読書と同様に、音楽は演奏(えんそう)が速いスピードで行われると、成立しない。

2　速読(そくどく)では音楽と同様にリズムが重要で、スピードが遅すぎると頭に入らない。

3　速読は、それにふさわしい音楽とともに行うのが、最も効果的である。

4　速読は、音楽の演奏を普通より短時間で終わらせることと同じで、いいと思わない。

[主張表現]

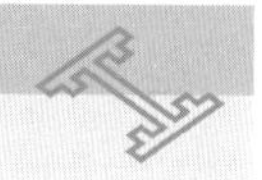

練習19　問いに対する答えとして最もよいものを一つ選びなさい。

図書館はどこへいこうとしてるのか。

こづかいが慢性的に足りなかった学生時代、ぼくは最寄りの図書館みっつを同時に利用し、週に十二冊の本を借りだしていた。そのころ読んだ本が、現在の仕事にどれだけ役立っているか、はかり知れない(注1)ものがある。図書館への感謝の気もちは、今でも深いのです。

それでも図書館によるベストセラーの購入冊数を知ったときは、あぜんとして(注2)しまった。話題のベストセラーだけを一館で十冊近くも買いこんでいるのだ。しかも賞味期限が切れたら、同じ本の在庫を抱えるのはスペースの無駄だから、抽選で来館者にあげてしまうという。

リクエストがある、予約待ちが長くなりすぎる。確かにいい分はあるだろう。でも、これがみんなの税金で支える図書館の理想的サービスなのだろうか。

(石田衣良『目覚めよと彼の呼ぶ声がする』文藝春秋)

(注1) はかり知れない：想像できない

(注2) あぜんとする：非常に驚く

問い この文章で筆者が最も言いたいことは何か。

1　図書館の予約待ちが長くなりすぎているという今の状況を改善するべきだ。

2　学生時代から利用している図書館の理想的サービスに対し、深く感謝している。

3　図書館のサービスは、ベストセラーの本を何冊も購入することではないはずだ。

4　図書館に何冊もある本を抽選で来館者にあげるというのは、いいサービスである。

[主張表現]

練習20　問いに対する答えとして最もよいものを一つ選びなさい。

「食べるために働く」という言葉があります。人が生存していくには、やはりお金がかかるのであり、お金を得るためには、やはり働かなくてはなりません。いまはさらに「働き甲斐（がい）」や「夢の実現」などが働くことの大きなファクター(注1)になっていますから、仕事があって、それが自分のやりたいことと一致（いっち）していれば、言うことはないわけです。

でも、現実にはなかなかそうもいかなくて、目の前にあるのは希望とはまったく違うものだけれども、転職（てんしょく）するのもたいへんだから、いやいや会社に通っているという人も多いでしょう。子供がいる人などはなおさら自分勝手（じぶんかって）(注2)もできず、毎日が我慢（がまん）の連続かもしれません。ときには「お金さえあったら好きなことができるのに」「誰（だれ）かオレを養（やしな）ってくれないかな」という気持ちになることもあるのではないでしょうか。

ときどき「もし宝（たから）くじで三億円が当たったら、仕事をやめて遊んで暮らす」という言葉を聞くことがあります。たしかに、お金さえあれば働かなくていいような気がします。しかし――と、そこで私は考えるのです。もしお金があったら、人は本当に働くのをやめるでしょうか。案外（あんがい）、そうでもないのではないでしょうか。

（姜尚中『悩む力』集英社）

(注1) ファクター：要素

(注2) 自分勝手（じぶんかって）：他人のことは考えず、自分の思いどおりに行動すること。

問い　この文章で筆者が最も言いたいことは何か。

1　人が働くのは収入を得るためだが、お金があっても、働き続けるだろう。

2　人はやむを得ない理由で働いており、お金がたくさんあったら働かないだろう。

3　子供がいる人は、金持ちになったとしても、子供のために働くのをやめない。

4　人はお金のために働くのであり、お金があれば自分の夢を実現しようとする。

2. 問いを解く技術を身につける—文章の細かい部分を正確に読み取る練習

1）指示語を問う

◆「これ・それ・あれ」「このこと・そのこと・あのこと」などの「指示語」が何を指しているかを問う問題である。

次の順番で考えよう。

・「指示語」を含む文をよく見て、内容をつかもう。

・その文の前後を見て、「指示語」が指す言葉を探そう。

※特に直前の文は必ずよく見よう。

◇◇

☆ 例題9　問いに対する答えとして最もよいものを一つ選びなさい。

多くの人が使う、「またにしてください」「今はちょっと」という、その場しのぎ(注1)的な遠回しの断り方があります。でもそんな言い方が通用しないことは、一度、何かの勧誘電話でも経験してみれば、わかると思います。すぐに、「では、いつ連絡さしあげましょうか」「明日の今頃ならばよろしいですか」と時間の空いているところを探してきます。真面目でウソをつけない人は、暇のある時間をつい答えてしまうかもしれません。

相手が正当な要求をしてきているとしたら、それに対して真面目な対応をするのが筋(注2)でしょう。当たり前のように思えます。一見、これは正しい対処だと思われますが、それは相手がまともな場合に限ります。近頃では、①そんなことをすると、うっかりだまされてしまうことがあるのです。

（西田公昭『だましの手口　知らないと損する心の法則』ＰＨＰ研究所）

（注1）その場しのぎ：後のことは考えずに、そのときの状況だけで何とかしようとすること

（注2）筋：当然そうするべきこと

問い ①そんなこととは何を指しているか。

1　正当な要求をすること

2　真面目に対応すること

3　相手がまともな場合に対処すること

4　真面目でウソをつけない人に答えてしまうこと

ステップ１　本文を読んで全体をつかもう

キーワード：断り方、勧誘電話、だまされる、書名『だましの手口』*

→　テーマは、だますこと？

*書名がいつもキーワードになるとは限らないが、ヒントになることもある。

ステップ２　問いを見て本文から答えを探そう

「指示語」に注目する

近頃では、①そんなことをすると、うっかりだまされてしまうことがあるのです。

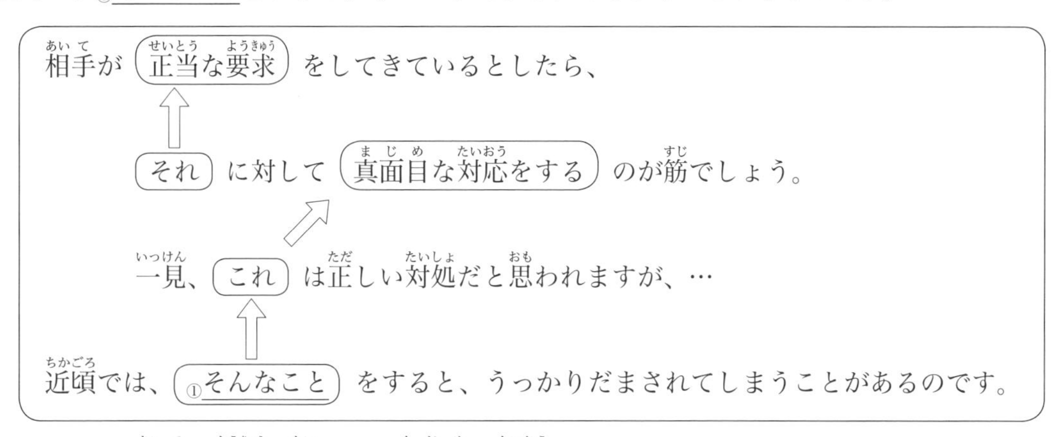

①そんなこと＝相手の要求に対して、真面目な対応をすること

ステップ３　選択肢と比べよう

２：正解

・下線部に「答え」を入れ、意味が通るかどうか確かめよう。

1）指示語を問う

◆下線部の「指示語＋N（名詞）」が何を指すかを問う問題

「N（名詞）」が指す言葉を探そう。

◇◇

☆ 例題10　問いに対する答えとして最もよいものを一つ選びなさい。

私は新入社員によくこう言うんです。

「君たちはお金をもらって会社で仕事を教えてもらい、鍛えられている。給料をもらうなんて話が逆だろう。会社がもらいたいくらいだ。授業料、持ってこい」

これで本当に持ってきたらすごいことですが、今のところいません。しかし実際、新入社員を受け入れる会社としては、①そういう感覚でいるわけです。

（丹羽宇一郎『負けてたまるか！　若者のための仕事論』朝日新聞出版）

問い　①そういう感覚とは何を指しているか。

1　新入社員に給料を払って、仕事を学ばせるのは、授業料だからしかたがない。

2　一人前の社員に育てるために、新入社員からお金をもらうのは話が逆だ。

3　仕事を教えてもらっている新入社員が授業料を払わないのはすごいことだ。

4　新入社員は、給料をもらうどころか、会社に授業料を払ってもいいくらいだ。

ステップ1　本文を読んで全体をつかもう

キーワード：新入社員、お金、会社、仕事、感覚　→　テーマは、新入社員の仕事？

ステップ2　問いを見て本文から答えを探そう

1)「指示語」に注目する

「会社としては、①そういう感覚でいるわけです。」

①そういう感覚は、「指示語＋N（名詞）」の形。

2) 何を指すか見る

そういう感覚でいる　＝　「そう感じている」　→　「そう言っている」？

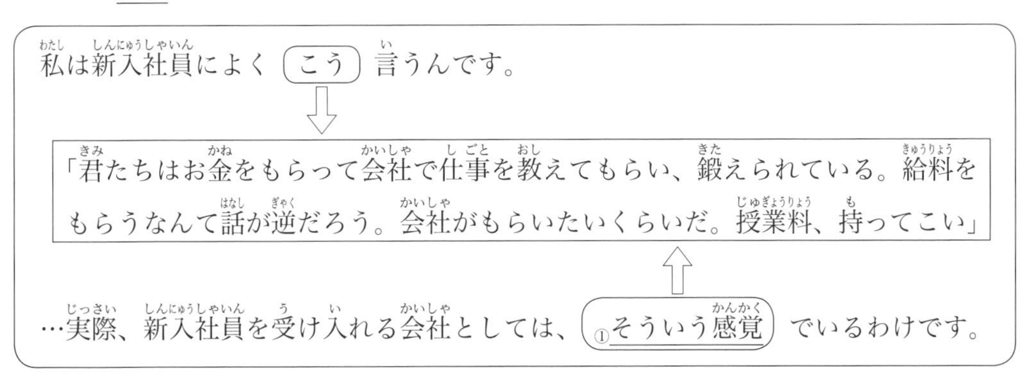

①そういう感覚＝新入社員は会社で仕事を教えてもらっているのに給料をもらうなんて話が逆だ。新入社員は会社に授業料を払えと感じている感覚

ステップ3　選択肢と比べよう

4：正解

練習21　問いに対する答えとして最も良いものを一つ選びなさい。

物理学者でもあり、科学者の社会的責任などについて活発(かっぱつ)に発言(はつげん)している池内了(いけうちさとる)さんは、「便利さとは、自分自身の中にある能力を失うこと」と述べています。(中略)

道具やエネルギーに多くを依存(いそん)していると、これらが使えない状況になったときにとても困ることは、経験した人はもちろん、そうでない人も容易に想像できるでしょう。

自動はたしかに便利です。ただし、どの部分を「自動化」し、どの部分を、わたしたちの内的(ないてき)能力を高めることで処理していくか、わたしたち自身が考えて決めていく必要があります。便利さをどんどん取り入れていくことは、最初は「よい面」がよく見え、あたかも「よい面」しかないように思えます。しかし、①それはほんの一面に過ぎません。わたしたちは、「便利」や「自動」を受け入れるときには、それによって現れるかもしれない「悪い面」も予測できなければならないと思います。便利を受け入れる「実力」を身につける必要があるのです。

(佐倉統、古田ゆかり『おはようからおやすみまでの科学』筑摩書房)

問い　①それは何を指しているか。

1　自動化すること

2　便利さをどんどん取り入れること

3　よい面

4　悪い面

指示語を問う

練習22　問いに対する答えとして最もよいものを一つ選びなさい。

音楽にしろ、美術にしろ、演劇にしろ、それを好んで鑑賞する人々の内面には、それぞれの表現手法に憧れる気持ちがあるんだろうと思います。できることなら、自分も同じようにやってみたい。けれどもふつうの人は、自分で表現できるほどの技術はないし、そのための訓練も積んでいませんから、プロのように歌ったり描いたりすることはできません。試しにやってみても、自分で思い描いていたような歌や絵にはならないでしょう。

そこで、人々の芸術欲を満たす代理人の役割を果たしてくれるのが、プロのアーティストたちです。

彼らの作品を鑑賞することで、私たちは、あたかも自分が何かを表現したような気分になれる。スポーツ（これも広い意味の芸術に含めていいでしょう）を見ているときの気持ちを思い出してみれば、①そういう面があるのは明らかです。

（林望『「芸術力」の磨きかた　鑑賞、そして自己表現へ』PHP 研究所）

問い　①そういう面とは何を指しているか。

1　自分の好きな音楽や美術や演劇など、それぞれの表現手法に憧れること
2　プロと同じようにやってみるが、自分が思い描いていたようなものにならないこと
3　プロの作品を鑑賞することで自分が何かを表現したような満足感を得ること
4　スポーツを見て、自分もまるで選手と同じように興奮した気持ちになること

練習23 問いに対する答えとして最もよいものを一つ選びなさい。

文句を言うことはとても大切です。文句を言う力をつけることも必要です。

ただ、いまは、言う「力」そのものが若い人から奪われている。なぜか。文句を言うことで、言った人自身が損をしてしまうと思わざるを得なくなっているからです。言ったらもっと状況が悪くなる。職場で疎んじられて、クビを切られるかもしれない。藪蛇(注1)だろう、ってことなんです。

さらには①そんな損得勘定以前に、「なにか言ったって、どうせどうにもならないよ」という空気が社会全体を覆っている。

（湯浅誠『どんとこい、貧困！』イースト・プレス）

（注1）藪蛇：よけいなことをして、かえって自分にとって悪い結果になること

問い ①そんな損得勘定とは、何を指しているか。

1 文句を言うことが、自分にとって得になるかどうか考えること
2 文句を言う力をつけることが、自分にとって得になるかどうか考えること
3 クビを切られることが、自分にとって得になるように変えようとすること
4 自分が損をしていると思われる状況を、得になるように変えようとすること

指示語を問う

練習24　問いに対する答えとして最もよいものを一つ選びなさい。

日本では、経済のことを「知っている」人が経済の専門家である。医学の知識のある人が医師。法律の知識のある人が法律の専門家。つまり学問をその対象によって分類している。これが変だということは、少し考えたら、わかるはずである。

料理には包丁(ほうちょう)を使う。包丁の使い方、研(と)ぎ方、選(えら)び方には、共通の原則(げんそく)があるはずである。学問ではそれを方法論という。包丁をどう扱(あつか)うか。学ばなくてはならないのは、それである。経済学を学ぶのではない。経済の取(と)り扱(あつか)い方を学ぶ。それは女房(にょうぼう)の扱い方を学ぶのと、同じか違うか。同じかもしれないし、違うかもしれない。

大学では①<u>そういうこと</u>を教えなくてはいけない。私はそう思うが、そうではなくて、医学を教えたり、経済学を教えたり、法学(ほうがく)を教えたりする。これでは役に立たなくて当然である。

（養老孟司『まともな人』中央公論新社）

問い　①<u>そういうこと</u>は何を指しているか。

1　包丁(ほうちょう)の研(と)ぎ方、選(えら)び方

2　対象の取(と)り扱(あつか)い方

3　女房(にょうぼう)の取り扱い方

4　専門の知識

2）「だれが」「何が」「何を」などを問う

◆「何が＿＿＿（～する）のか。」「＿＿＿（～する）のは、だれか。」
「何を＿＿＿（～する）のか。」「何と＿＿＿（～する）のか。」という形の問題。
下線部に書かれていない主語や対象語などを探す。
次の順番で考えよう。

・まず、下線部をよく見て、内容をつかもう。
・前後を見て答えを探し、下線部の主語、対象語に当てはめてみよう。

◇◇

☆ 例題11　問いに対する答えとして最もよいものを一つ選びなさい。

オーケストラは演奏会の前に、その会場で本番と同じように練習する。このとき、ステージマネジャーは、まずトラックで練習場から会場まで楽器を運び、会場を本番どおりに設定し、舞台や客席の照明を決める。練習が始まれば曲の演奏時間を計り、遅れて来たお客さんを席に案内するタイミングも決める。本番になると、ステージに続くドアを開け閉めして、指揮者や演奏者を送りだしたり迎えたりする。照明やアナウンスの指示もする。そして演奏会後は舞台を片付け、楽器を練習場まで戻して、①次の準備をするのである。

問い ①次の準備をするのはだれか。

1　オーケストラ
2　ステージマネジャー
3　指揮者
4　演奏者

ステップ1　本文を読んで全体をつかもう

キーワード：オーケストラ、演奏会、会場、ステージマネジャー　→　テーマは、演奏会？

ステップ2　問いを見て本文から答えを探そう

1）下線部の文を見る

「①次の準備をするのである」

「〜はだれか」　→　主語を質問している。

2）前の文を見る

オーケストラは、…練習する。

このとき、ステージマネジャーは、…運び、…設定し、…照明を決める。
練習が始まれば　…計り、…決める。
本番になると、…開け閉めして、…送りだしたり迎えたりする。
照明や〜指示もする。
そして演奏会後は…片付け、…戻して、…次の準備をするのである。

↓

この五つの文の主語は、すべて「ステージマネジャー」

ステップ3　選択肢と比べよう

次の準備をするのは「ステージマネジャー」

2：正解

「だれが」「何が」を問う問題の場合、トピックを表す助詞「は」に注目しよう。
「Aは〜。〜。〜。Bは〜」のような文章の場合、「A」が2文目や3文目の主語になることが多い。

2)「だれが」「何が」「何を」などを問う

☆ 例題12　問いに対する答えとして最もよいものを一つ選びなさい。

むかしは、トレーニングを軽視(けいし)しがちだった。いや軽視したわけではないが、テニスの選手が、野球をしたり、スキーをやったり、あるいは陸上(りくじょう)競技に出たりしたこともあるそうだ。それが、知らず知らずのうちにいいトレーニングになっていたのだろう。だがスポーツをする人が多くなってから、各競技かけ持ちという万能(ばんのう)選手がいなくなって、次第に、トレーニングをあまりやらなくなった時代があるという。もちろん軽い体操(たいそう)やランニングは、どんな時代でもあったが……。

①いまは違う。「科学的」ということばが流行しているように、トレーニングも重要視(じゅうようし)されるようになった。それも、サッカーなら、サッカーにあうように、テニスならテニスにいいように研究されてきている。

(石黒修『テニス』講談社)

問い ①いまは違うとは、むかしとどのように違うのか。

1　むかしは、トレーニングを軽視(けいし)していたが、いまは「科学的」研究が盛(さか)んになり、トレーニングを全くしなくてもよくなった。

2　むかしはトレーニングをしなくてもどんなスポーツもうまくなったが、いまはスポーツによって異(こと)なるトレーニングが必要である。

3　むかしは、ほかのスポーツをすることがトレーニングになっていたが、いまはそれぞれのスポーツにあうトレーニングをするようになった。

4　むかしは、いろいろなスポーツをかけ持ちでやる選手がいなかったが、いまはトレーニングが重視(じゅうし)され、万能(ばんのう)選手が増えてきた。

ステップ１　本文を読んで全体をつかもう

キーワード：トレーニング、軽視、「科学的」、重要視　→　テーマは、トレーニング？

ステップ２　問いを見て本文から答えを探そう

下線部の文を見る

①いまは違う。　→　「むかし」と「いま」の対比に注目する。

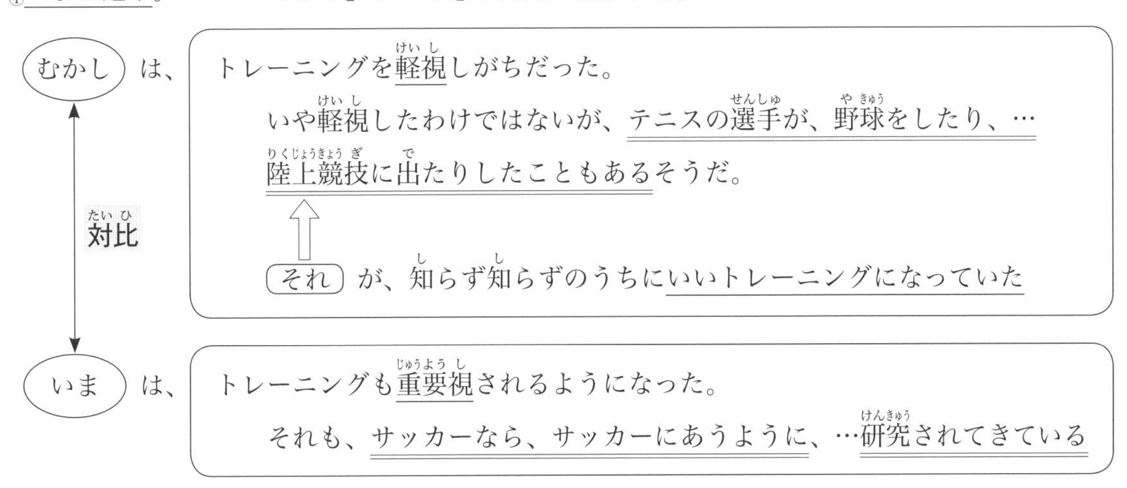

ステップ３　選択肢と比べよう

むかしは、ほかのスポーツをすることがいいトレーニングになっていた。

いまは、「科学的」トレーニングが重視され、それぞれのスポーツにあうものが研究されている。

１：いま、トレーニングを全くしないとは書かれていない。

２：むかし、トレーニングをしなくてもうまくなったとは書かれていない。

３：正解

４：むかし、スポーツをかけ持ちしなかったとは書かれていない。いま、万能選手が増えてきたとは書かれていない。

「だれが」「何が」「何を」などを問う

練習25　問いに対する答えとして最もよいものを一つ選びなさい。

人に何かを聞かれたとき、つい使ってしまうのが「あ、それでいいですよ」という言葉。ベストではないが断るほどでもない、といったニュアンスだろう。

たとえば、帰宅して妻に「夕飯、カレーなんだけど」と言われた夫が、「ランチもカレーだったのにな」と思いながらも「ああ、それでいいよ」と答えてしまう、という感じだ。本音(ほんね)では「カレーが二回続くのはイヤだな」と思いながらもそれを口にしないやさしさも、そこには込められている。

しかし、「それでいいよ」と言われたほうは、そこに混じっている気配(きくば)りややさしさには①なかなか気づかない。

(香山リカ『言葉のチカラ　コミュニケーションレッスン』集英社)

問い　①なかなか気づかないのはだれか。

1　カレーでいいかどうか聞かれた人

2　カレーでいいかどうか聞いた人

3　カレーでいいと答える人

4　カレーはイヤだと思う人

練習26　問いに対する答えとして最もよいものを一つ選びなさい。

まとめて助数詞(じょすうし)と呼ぶそうだが、ものを勘定(かんじょう)する言葉は奥深(おくぶか)い。生き物は匹で足りると思いきや、ウサギは羽(わ)、イカは杯(はい)、チョウは頭(とう)とも数える。では、それらを生き物たらしめている命はどう数えるのだろう。草花(くさばな)にも①あるから人(にん)や体(たい)ではなく、個も違う。

とりあえず、八つの命が送り出されたと書く。米国(べいこく)で生まれた男6人、女2人の八つ子である。680～1470グラムの未熟児(みじゅくじ)(注1)ながら、帝王切開(ていおうせっかい)(注2)による5分の「安産(あんざん)」だった。八つ子は米国で2例目、全員が元気に育てば世界初のケースになるらしい。

(朝日新聞2009年1月30日)

(注1) 未熟児(みじゅくじ)：普通より軽い体重で産まれた赤ん坊

(注2) 帝王切開(ていおうせっかい)：出産のために行う手術

問い　何が①あるのか。

1　生き物

2　数

3　命

4　助数詞(じょすうし)

「だれが」「何が」「何を」などを問う

練習27　問いに対する答えとして最もよいものを一つ選びなさい。

学校でも会社でも、「計算は速く正確にやれ」「厳密(げんみつ)な答えを出せ」とばかり言われる。そうして、みんな頭がくたびれて、いつしか数がキライになっていく。「それはあまりにモッタイナイことだ」と筆者は思うのである。

数に強くなると、いろいろ面白(おもしろ)くて、実になることが多くなる。たとえば、いつも的確に判断できるようになるとか、物事を考えたとおりに動かせるようになる。そんなことを繰(く)り返していると、とても自信がつく。そして、①<u>もっとある</u>。人が褒(ほ)めそやしてくれるのである。だから、**イイ気になれる**(注1)。

そういう人は、脇(わき)から見ていると、妙(みょう)に自信あり気で、立派(りっぱ)な感じに見える。読者(どくしゃ)のみなさんのまわりにも、必ず一人はそういう人がいるはずである。

(畑村洋太郎『数に強くなる』岩波書店)

(注1) イイ気になる：良い気持ちになる

問い ①<u>もっとある</u>とあるが、何がもっとあるのか。

1　数がキライになる理由

2　イイ気になれること

3　的確に判断できるようになること

4　面白(おもしろ)くて実になること

3）下線部の意味を問う

◆「＿＿＿＿とはどういう意味か。」「＿＿＿＿とは、どういうことか。」
「＿＿＿＿とは、だれのことか／何のことか。」という形の問題。
次の順番で考えよう。
・下線部と下線部の文をよく見て、内容をつかもう。
・その文の前後を見て、下線部の言い換えを探そう。

◇◇

☆ **例題13　問いに対する答えとして最もよいものを一つ選びなさい。**

「ポジティブ・シンキング」という言葉が、広く知られるようになった。どんな場合も、マイナスの方向ではなく、プラスの方向に考えるという積極的な姿勢を指す言葉だ。しかし、この姿勢が強すぎると、かえって①よくない結果になることがある。

ある人が、結婚を前提につきあっていた彼に「別れよう」と言われた。彼女は「落ち込んでいてはいけない。これは、神様が今は仕事に集中するべき時期と言っているからなのだ。ポジティブ・シンキングで乗り切ろう」と考え、仕事に全力で取り組もうと決めた。傷ついた心を無視して、毎日仕事に打ち込んだのである。しかし、実際には仕事での失敗が増え、それを指摘されるとひどく落ち込むようになり、それをくり返すうちに、会社に来られないような状況になった。

ポジティブ・シンキングには「強くて積極的」というイメージがある。しかし、あまりにつらい状況で「強くて積極的」になろうとすると、心に無理をさせる可能性があるのである。

問い ①よくない結果とはどういうことか。

1　落ち込んで、仕事への意欲がなくなること
2　つきあっている彼と別れることになること
3　心に無理をさせてしまい、病気になること
4　あまりにつらくて弱い自分に気づくこと

ステップ1　本文を読んで全体をつかもう

キーワード：ポジティブ・シンキング、姿勢、心　→　テーマは、ポジティブ・シンキング？

ステップ2　問いを見て本文から答えを探そう

1）下線部の文を見る

「しかし、［この姿勢］が強すぎると、かえって①よくない結果になることがある。」

‖

ポジティブ・シンキング

ポジティブ・シンキングが強すぎて起きた、①よくない結果の内容を探す。

2）問いの答えを考える

ポジティブ・シンキングの例

第2段落：

（ある人）＝　結婚を前提につきあっていた彼に「別れよう」と言われた人

‖

（彼女）は「落ち込んでいてはいけない。…ポジティブ・シンキングで乗り切ろう」と考え…

＝心を無視して仕事に打ち込む

(その結果)

しかし、実際には仕事での失敗が増え、それを指摘されるとひどく落ち込むようになり、それをくり返すうちに、会社に来られないような状況になった。

→　①よくない結果の指す内容

ステップ3　選択肢と比べよう

1：仕事への意欲がなくなるとは書かれていない。

2：つきあっている彼と別れること自体は結果なのではなく、ポジティブ・シンキングをしようとした原因。

3：正解

4：あまりにつらくて弱い自分に気づくとは書かれていない。

下線部の意味を問う

練習28　問いに対する答えとして最もよいものを一つ選びなさい。

インタビューを読むときは、用心しなければならない。私たちは、人が話したことを、そのまま文章にしたのがインタビューだと思ってしまいがちだ。しかし、実際にはさまざまな「加工(かこう)(注1)」が行われてはじめてインタビュー文になる。限られたスペースで、伝えたいことを伝わりやすく表現するためには、切ったり、貼(は)ったり、並べ替えたり、ときには修正(しゅうせい)したりという作業が必要になる。①それは映画の作り方に似ている。映画はたくさん撮(と)ったフィルムのなかから、必要な部分を選び出し、つなぎ合わせていく。

（永江朗『インタビュー術！』講談社）

（注1）加工：元の物に手を加えて新しい物を作ること

問い　①それは映画の作り方に似ているというのは、どういうことか。

1　インタビュー内容そのままではなく、手が加えられること
2　限られた範囲(はんい)のなかで、インタビューの相手の話を忠実(ちゅうじつ)に再現しようとすること
3　実際にはインタビューで聞かなかったことも新たに加えられていること
4　さまざまな視点(してん)からインタビューの相手をとらえようとしていること

練習29　問いに対する答えとして最もよいものを一つ選びなさい。

①行間(ぎょうかん)を読むという不思議な言葉があります。

たとえば誰(だれ)かから手紙が来て、時候(じこう)のあいさつ(注1)が書いてあり、いま自分たちが活動しているNPO組織(注2)の活動状況が書かれていて、「それほど豊かな財政(ざいせい)ではありませんが、みなして(注3)がんばってやっています。どうぞ心からの応援(おうえん)をおくってください」と結んである場合、読んだ人はどうするでしょうか。

なるほど、そう書いてあるからがんばれと、手紙の前で声援(せいえん)を送る人もいるかもしれません。けれど、心からの応援をおくってくれという言葉からいくらかの金銭(きんせん)的なサポートをしてほしい、あるいは手伝いに来てほしいと言っているのに違いないと思って、実際に行動に移る人も何人かいるのです。

（佐藤綾子『思いやりの日本人』講談社）

（注1）時候(じこう)のあいさつ：手紙の初めに書くあいさつ文。四季の変化について述べる。
（注2）NPO組織：利益(りえき)を目的とせず、社会的な活動を行う組織
（注3）みなして：みんなで

下線部の意味を問う

問い この手紙の場合、①行間(ぎょうかん)を読むとはどういうことか。

1 手伝いに来たり、金を送ったりしてほしいのだろうと理解する。

2 実際に手紙の前で声を出して「がんばれ」と言う。

3 すぐに「がんばれ」という内容の応援(おうえん)の返事を書く。

4 手紙を書いた人に向かって「手伝いに来てほしい」と頼む。

練習30 問いに対する答えとして最もよいものを一つ選びなさい。

筆者は写真展(てん)や新聞、雑誌の中で①「いいな」と思う写真に出会ったときは、自分はいま写真を見ているのではない、写真が捉(とら)えたその場に立ち会っているのだ、と思うようにしています。人が撮ってきたモノとして、一歩引いたところで鑑賞(かんしょう)するのではなく、自分も同じ現場でこのシーンを見ているのだと考えるのです。そうして、画面(がめん)の中の人の声や周囲の音、匂い、モノの感触(かんしょく)まで想像するのです。(中略)

写真は実際にあった、ある瞬間(しゅんかん)を記録したものです。まだ見たことのない、めずらしい風景や人びとの生活の場に直接つれていってくれます。古いアルバムを開け、祖父母(そふぼ)といっしょに写っている写真にもぐり込むと、子供の頃(ころ)に戻って祖父母の声が聞こえてきます。

良い写真とは、そこに写っている世界に入ってみたくなるような、あるいは、知らないうちに、われを忘れて写真と話し込んでいるような、画面の中からいくつもの言葉が聞こえてくるような写真のことをいうのではないでしょうか。

(石井正彦『気づきの写真術』文藝春秋)

問い 筆者が①「いいな」と思う写真とはどのような写真か。

1 写した人と見ている人がいっしょに話をしていると感じられるような写真

2 写した人と見ている人の気持ちがぴったり一つに重なるような写真

3 見る人の気持ちが知らず知らずのうちに楽しくなってくるような写真

4 見る人がその世界に入り込みたいという気持ちになるような写真

下線部の意味を問う

練習31　問いに対する答えとして最もよいものを一つ選びなさい。

図書館はぶらっと出かけて新聞雑誌をひろい読みしたり、話題の新刊書をパラパラと開いてみたりしたあと、ゆっくり読みたい本の一、二冊も借りて帰ってくるというように、ごく気軽に利用するのが理想的ではないだろうか。つまり、読書生活が日常化しているという状態であり、今日の公共図書館の運営方針は、そのような親しみを持たれるよう努めている。

ふだんから気軽に利用していると、だいたいの勝手もわかるので、いざ調べものや研究でもしようというときにあわてずに済む。

しかし、地域の公共図書館設置数はまだまだ十分ではないので、身近（八百メートル以内）に親しみやすい図書館があるような恵まれた人は少ないであろう。どうしても図書館には①<u>肩肘張った目的</u>を持って出かけていくことになる。散歩に行くのでなく、勉強や調査に出かけていくということになりがちである。そうなると、目的の資料を閲覧できる確率の高い、大きな図書館へということになる。

現実の問題としては、日常においては近所にある地域図書館を、少し専門的な問題については都心や県立の図書館を利用するという二段構えの作戦をとるのが能率的だろう。

（紀田順一郎『図書館が面白い』筑摩書房）

問い　①肩肘張った目的とはどのようなものか。

1　散歩の途中に立ち寄って新聞や本をパラパラと読むこと
2　図書館に親しみを持ち、読書生活が日常化するよう努めること
3　便利な公共図書館を地域に増やそうとすること
4　調べものや研究をするために資料を探しに行くこと

下線部の意味を問う

練習32　問いに対する答えとして最もよいものを一つ選びなさい。

ペットが子供同様に扱(あつか)われ、深い愛情を受けること、それは稀薄(きはく)になり続ける人間関係やストレスにさらされることの多い現代の一つの象徴(しょうちょう)と言えるのではないだろうか。

他人の干渉(かんしょう)(注1)から離(はな)れ、煩(わずら)わしさ(注2)から解かれた分、一人では消化しにくい思いを抱えることが増え、犬や猫は大きな癒(いや)し(注3)の力を持ちはじめた。私はそれを、昔から身近にいた彼らが変わったのではなく、人の求めるものが変化したためだと考えている。

動物たちは生きるために、いくつかのことを人に頼っているが、①救われているのは決して彼らだけではない。

（宇都宮直子『ペットと日本人』文藝春秋）

(注1)干渉(かんしょう)：関係のない人からうるさく指示されること
(注2)煩(わずら)わしさ：気が重く、めんどうなこと
(注3)癒(いや)し：病気を治したり、苦しみなどを軽くすること

問い　①救われているのは決して彼らだけではないとはどういうことか。

1　犬や猫は人間の世話を受けて生きているが、人間は彼らによって癒(いや)され、救われている。
2　最近は犬や猫が癒しの力を持ちはじめ、人間だけでなくほかの動物も救われるようになった。
3　ペットを飼(か)っている人ばかりではなく、周りにいる人々もストレスから解放される。
4　人間だけでなく、犬や猫も煩(わずら)わしさから解放されて、自由になりたいと思っている。

4）理由を問う

◆「〜と言えるのはなぜか」「どうして〜か」など、**理由を問う問題**

次の順番で考えよう。

・下線部の文や 問い の文をよく見て、内容をつかもう。

・下線部の文や、前後の文から「理由の表現」を探そう。

◇◇

☆ 例題14　問いに対する答えとして最もよいものを一つ選びなさい。

自分の「生きる意味」を生きている人の世界には「濃淡(注1)」がある。世界のどこが自分としては譲れない「濃い」部分で、どこがあまり自分には問題にならない「淡い」部分なのかの地図ができている。だから「淡い」部分で何かが起こっても①そんなに気にしなくてもいい。「同い年なのに君の年収はぼくより低いね」と言われても、「うん、まあぼくは家族と一緒にいられる時間を一番大事にしているからね」と涼しい顔(注2)で言い返すことができるのだ。

（上田紀行『生きる意味』岩波書店）

（注1）濃淡：色などの濃さの程度

（注2）涼しい顔：何も気にしていないような平気な顔

問い ①そんなに気にしなくてもいいのはなぜか。

1　地球上には大きな問題になることとならないことがあり、問題にならないことだから。

2　自分の中には軽視できる部分とできない部分があり、軽視できる部分のことだから。

3　その人の中ではどの部分もあまり区別をしておらず、起きたことは重要ではないから。

4　社会には重要な部分と重要ではない部分があり、起きたことはどうでもいい部分のことだから。

ステップ1　本文を読んで全体をつかもう

キーワード：「生きる意味」、「濃淡」、「濃い」、「淡い」　→　テーマは、生きる意味？

自分の世界の中で（濃い部分＝自分としては譲れない（＝大事にしている）部分）

↕ **対比**

（淡い部分＝あまり自分には問題にならない（＝軽視できる）部分）

ステップ2　問いを見て本文から答えを探そう

1）下線部の文を見る

［だから］「淡い」部分で何かが起こっても①そんなに気にしなくてもいい。

2）前後の文から理由を示す部分を探す

下線部の文に「だから」がある。

理由　世界のどこが自分としては譲れない「濃い」部分で、どこがあまり自分には問題にならない「淡い」部分なのかの地図ができている。

‖

大事にしている部分と軽視できる部分がある

「淡い」部分は自分には軽視できる部分。だから気にしなくてもいい。

ステップ3　選択肢と比べよう

1：地球上で起こる問題について言っているのではない。

2：**正解**

3：その人の中では区別をしていないとは書かれていない。

4：社会の重要な部分と重要でない部分について言っているのではない。

理由の表現

- 「～から」「～ので」「～で／て」「～ため」「～おかげで」「～せいで」などの接続表現
- 「だから」「それで」「したがって」「ゆえに」などの接続表現
- 「～からだ」「～ためだ」「～わけだ」「～のだ」などの文末表現
- 「なぜなら～からだ」「～ことから～ことになる」などの呼応表現

4）理由を問う

◆下線部の文や 問い の文に直接つながる「理由の表現」がないこともある。
その場合は、次の順番で考えよう。

・下線部の文や 問い の文をよく見て、内容をつかもう。
・下線部の文や 問い の文の言葉の「言い換え」「指示語」を探そう。また、「対比」を探そう。
・前後の文から「理由を示す」部分を探そう。

◇◇

☆ 例題15　問いに対する答えとして最もよいものを一つ選びなさい。

スポーツには二種類の「勝利」があることを知っていますか？

一つは言うまでもなく、競う相手に対するものです。相手の攻撃に耐え、相手の守備に頑張って攻撃をしかけます。これをせずには、勝利することは望めません。

もう一つの勝利とは、弱い自分に勝つ、つまり克己です。プレーヤーは、「勝利を得るためには、ルール(注1)を守りたくない」という誘惑(注2)に絶えず直面しています。何しろルールには「勝つためには面倒なこと」がいっぱい書いてあるからです。しかし、その誘惑に負けるのは自分が弱いからです。たとえゲームで勝利を得たとしても、それが反則によるものであれば、スポーツにおける勝者とはなりません。①己に勝つ（克つ）ことは、スポーツマンの必要条件なのです。

（高峰修『スポーツ教養入門』岩波書店）

（注1）ルール：スポーツやゲームの規則
（注2）誘惑：その人にとって良くない状態に誘うこと。

問い スポーツで①己に勝つ（克つ）ことが必要なのはなぜか。

1　相手を攻撃し、相手の攻撃から守る努力を絶えずしないと、ゲームに負けるから。
2　数多くある、勝つためには面倒なルールをすべて覚えなければならないから。
3　ルールを守りたくないという気持ちに負けたら、本当に勝ったと言えないから。
4　自分は相手より弱いという気持ちになったら、ゲームに勝つことはできないから。

ステップ1　本文を読んで全体をつかもう

キーワード：スポーツ、「勝利」、相手、自分、ルール、誘惑　→　テーマは、スポーツでの勝利？

スポーツには二種類の「勝利」がある

①競う相手に勝つこと

↕ **対比**

②弱い自分に勝つ（＝克己）こと

ステップ2　問いを見て本文から答えを探そう

1）下線部の文や 問い の文を見る

①己に勝つ（克つ）ことは、スポーツマンの必要条件なのです。

‖ **言い換え**

弱い自分に勝つこと

2）理由を示す部分を探す

前後に、下線部の文や 問い の文に直接つながる理由の表現はない。ほかの部分の言い換えなどに注目する。

弱い自分に勝つこと

‖ **言い換え**

ルールを守りたくないという誘惑に直面し、それに負ける自分

‖ **言い換え**

反則をする自分

> ゲームで勝利を得たとしても、それが反則によるものであれば、スポーツにおける勝者とはならない。（＝スポーツの勝者になるには、反則をしてはいけない。）

つまり、ルールを守りたくないという誘惑に負けたら、ゲームに勝ったと言えない。

ステップ3　選択肢と比べよう

1：相手を攻撃し相手の攻撃から守るのは、相手に勝つことで、己に勝つことではない。

2：面倒なルールを覚えることではなく、ルールを守りたくない誘惑に勝つことが必要。

3：正解

4：自分は相手より弱いという気持ちになるとは書かれていない。

練習33　問いに対する答えとして最もよいものを一つ選びなさい。

子どもや若者(わかもの)は本来、素直(すなお)に希望を語りやすいものです。それが大人になるにつれて、実現可能性についての情報を持つようになります。すると、「希望なんてどうせかなわない(注1)」というあきらめも生じやすくなります。また情報が少ない時代には持つことができた無邪気(むじゃき)な希望も、高度情報化社会になると、そうもいきません。情報が多いと選択肢(せんたくし)が増えて有利になる人もいます。しかし、自分に特別な才能がないと思う人には、希望なんてどうせかなわないと、思い知らされることのほうが、むしろ増えるのです。

情報化が進んだ社会の若者は、かつての若者以上に、希望の実現が困難であることを直観的(ちょっかんてき)に知っているように思います。その意味では、昔の子どもよりも、①今の子どものほうが、夢や希望を持ちにくくなっているといえるかもしれません。

（玄田有史『希望のつくり方』岩波書店）

（注1）かなう：実現する

問い ①今の子どものほうが、夢や希望を持ちにくくなっているといえるかもしれませんとあるが、なぜか。

1　高度情報化社会になり、昔と比べて情報が多いため
2　今の子どもは、素直(すなお)に希望を語らないため
3　今は特別な才能を持つ子どもが減ったため
4　今はさまざまな選択(せんたく)の可能性が増えすぎたため

練習34　問いに対する答えとして最もよいものを一つ選びなさい。

自分が転職に向いているかどうかをチェックする簡単な方法があります。それは、自分にとって①居心地の悪い、新しい空間に身を投じてみることです。

どんなことでもいいのです。たとえばスポーツジムに行ったり、興味のあった習い事を始めてみたり……。習い事など新しいことを始めるときは、誰でもゼロからのスタートになります。ですから、友達と一緒にではなく、自分一人で始めてみましょう。

一人でゼロから始めるとなると、いろいろな意味で居心地の悪い思いをするでしょう。まず、不明な点は誰かに聞かなければなりません。(中略) これをストレスに感じる人もいるはずです。

転職した場合も、一人で新しい環境に対応していかなければなりません。今までいた会社とは全く違う環境のもとで、たとえば「普段、ランチはどこに食べに行くんですか？」といった小さな日常的なことさえも、同僚とはいえよく知らない人に一つ一つ聞いていかなければなりません。事前に習い事などを一人で始めてみると、自分が新しい環境のもとでうまく対応できるかどうかがわかるのです。

(小島貴子『天職力と転職力』角川 SS コミュニケーションズ)

問い　転職をする前に①居心地の悪い、新しい空間に身を投じてみるのがいいのはなぜか。

1　新しい職場でうまくやっていけるかどうか、わかるから。

2　新しい仕事の内容に向いているかどうか、わかるから。

3　今の仕事にストレスを感じているかどうか、わかるから。

4　今の職場が本当に居心地が悪いかどうか、わかるから。

理由を問う

練習35　問いに対する答えとして最もよいものを一つ選びなさい。

私が子どもの頃、父に映画を見に連れていってもらったときのことです。見終わって父に「どうだった？」と聞かれたのですが、ことばが思い浮かびません。ためらった末、「べつに」と答え、父からひどく怒られました。

そのときは、「こんなことでなぜ？」と思ったのですが、せっかくの休日にわざわざ映画に連れて行って、子どもの喜んでいる声を聞きたかった父には、やるせなかったのでしょう。映画のよしあしよりも、発せられた問いに正面から向き合って答えなかった私の声にあらわれた態度に、許しがたいものを感じたのでしょう。私の声の出し方と、その声から伝わったものが、父を不快にさせたのです。

でも、もし怒られなかったら、私はそのことに気づかなかったでしょう。このとき、ほかの人なら、きっと何も言わずに、ごうまんで、ぶしつけで、無気力で、いいかげんな人間だと私を判断したかもしれません。そして、黙って遠ざかっていったでしょう。

（福島英『声のトレーニング』岩波書店）

問い 筆者が父に怒られたのはなぜか。

1　筆者が、映画の内容が良かったと言わなかったから。

2　筆者の声が小さくて、父にははっきり聞こえなかったから。

3　筆者がすぐに父の質問に答えなかったから。

4　筆者の声に、質問に答えようとする誠実さがなかったから。

理由を問う

練習36　問いに対する答えとして最もよいものを一つ選びなさい。

どのような仕事でも働く時に共通するのは、相手（人、機械など）があり、仕事を進める手段に手順(てじゅん)があり、途中でその働きを評価(ひょうか)し、最後にその働きで報酬(ほうしゅう)や感謝(かんしゃ)の言葉、態度(たいど)を受け取るということだ。確かに仕事はさまざまだし、その働きも仕事によって違いがあるように思われるけれども、その基(もとい)となることを探ってみると、共通していることが多い。

君たちの勉強にしても、ほとんど同じではないか。先生などの相手がいて勉強が始まり、勉強には手順があってうまくその手順を覚えて従(したが)うと効率(こうりつ)のいい勉強ができる。勉強の途中で自分で、あるいは先生に、その途中経過(けいか)をチェックしてもらう。すると、それからの勉強がうまくできていい成績がとれる。こう考えると、つまりは①学校で勉強していることが会社や社会で働くことを勉強していることになるのだと分かるだろう。（中略）会社で君たちが必要とする力は、どれだけものを知っているかだけでなく、どのようにして問題を発見し、その発見から得た課題(かだい)をどう解(と)きほぐす手段を持ち、努力を重ねて新しいものを作ったり、驚(おどろ)くような感動を与えたりできるかなのだ。

（森清『働くって何だ　30のアドバイス』岩波書店）

問い　①学校で勉強していることが会社や社会で働くことを勉強していることになるのはなぜか。

1　学校で勉強した知識が、社会人になった時に役に立つから。

2　学校で行う勉強の流れは、働く時のやりかたと共通するから。

3　学校の勉強でしてきた努力は、働く時にも必要であるから。

4　学校でとった成績が、就職をする時にチェックされるから。

練習37　問いに対する答えとして最もよいものを一つ選びなさい。

非の打ちどころのない(注1)人間は、いません。誰でも、どこか欠けています。欠けているところだけみつめると、自分はダメ人間だと思えてきます。劣等感ともいいます。

劣等感を忘れるときがあります。それは強いものの仲間に入って、「劣った人間」をばかにするときです。ほんとうは強くないのに、生まれつき強いものの仲間であるような気になって、劣等感から解放されます。

差別されるものに、劣ったところがあるのでなく、差別するほうに、どこか劣ったところがあるのです。劣ったところを忘れるために、自分たちは強い仲間だという、つくり話をかんがえだします。自分たちは正常の人間だが、相手はきずものだときめつけることもあります。

(松田道雄『私は女性にしか期待しない』岩波書店)

(注1)非の打ちどころのない：全く欠点のない

問い　筆者は人が差別をするのはなぜだと考えているか。

1　相手がつくり話をして、自分たちの仲間が劣っているとばかにするから。

2　相手の劣ったところを見ることで、自分の劣ったところを忘れられるから。

3　差別される人たちは劣っていて、正常ではないとみんながかんがえているから。

4　強いものの仲間に入って差別をすると、自分の劣等感から解放されるから。

理由を問う

練習38　問いに対する答えとして最もよいものを一つ選びなさい。

結婚は入れ歯(注1)と同じである、という話があります。これは歯科医の人に聞いた話ですけれど、世の中には「入れ歯が合う人」と「合わない人」がいる。合う人は作った入れ歯が一発で合う。合わない人はいくら作り直しても合わない。別に口蓋の形状に違いがあるからではないんです。マインドセットの問題なんです。

自分のもともとの歯があったときの感覚が「自然」で、それと違うのは全部「不自然」だから厭だと思っている人と、歯が抜けちゃった以上、歯があったときのことは忘れて、とりあえずご飯を食べられれば、多少の違和感は許容範囲内、という人の違いです。自分の口に合うように入れ歯を作り替えようとする人間はたぶん永遠に「ジャストフィット(注2)する入れ歯」に会うことができないで、歯科医を転々とする。それに対して、「与えられた入れ歯」をとりあえずの与件として受け容れ、与えられた条件のもとで最高のパフォーマンス(注3)を発揮するように自分の口腔中の筋肉や関節の使い方を工夫する人は、そこそこの入れ歯を入れてもらったら、「ああ、これでいいです。あとは自分でなんとかしますから」ということになる。そして、ほんとうにそれでなんとかなっちゃうんです。

このマインドセットは結婚でも、就職でも、どんな場合でも同じだと僕は思います。

（内田樹『街場のメディア論』光文社）

(注1) 入れ歯：抜けた歯の代わりに入れる人工の歯

(注2) ジャストフィット：ぴったり合う

(注3) パフォーマンス：性能

問い「入れ歯が合う人」は、なぜ一発で合うのか。

1　入れ歯が合う人の口の中の形が特別な形ではなかったから。

2　自分で工夫して、自分の口に合う形になるように入れ歯を直すから。

3　歯があったときの感覚は忘れ、その入れ歯で食べられるよう工夫するから。

4　自分にぴったり合う入れ歯を作れる歯科医に出会うことができたから。

5）例を問う

◆**筆者が本文で述べていることに合う「具体的な例」を選択肢から選ぶ問題である。選択肢の内容が本文に書かれていないことに注意しよう。**

次の順番で考えよう。

・下線部の文や 問い の文をよく見て、内容をつかもう。下線部がなければ、問い、及び文章全体を読んで、内容をつかもう。

・選択肢を比べ、どれが具体例として適切か考えよう。

◇◇◇

☆ 例題16　問いに対する答えとして最もよいものを一つ選びなさい。

　この先に何か目標があって、そこに向かっていくときにはモチベーション（注1）というのはどんどん高まっていくのだと思います。目標さえあれば、その目標に向かって、よし、こうしよう、ああしようとイメージを先へ先へと進められる。**成功する人はみな、明日こうしよう、明後日こうしようと思った瞬間、実は頭の中で①明日、明後日の「こうしよう」を一足先に、体感として身につけてしまっているのです。**

　たとえば、まだ今日なのに、「明日は朝から釣りに行ってこうしよう」と思うと、もうその時点で頭の中では魚を釣っています。それがイメージ力なのです。つまり、まだ明日じゃないのに情報を作ってしまってある。明日になったらそれを引っ張り出すだけなのです。成功する人たちというのは、だいたいそういうプラスのイメージをいつも働かせている。だから実際に目標達成するのです。

（岡本正善『めげても立ちなおる心の習慣』筑摩書房）

（注1）モチベーション：目的に向けて行動し、続ける力

問い ①明日、明後日の「こうしよう」を一足先に、体感として身につけてしまっているの例として、最も適切なものはどれか。

1　「明日は上手に発表しよう」と思うのをやめて、今すぐに発表の練習を始める。

2　「明日は上手に発表しよう」と思うだけで、実際にうまく発表している気分になる。

3　「明後日は上手に発表しよう」と思うと、明日発表したくなる。

4　「明後日は上手に発表しよう」と思わなくても、だれよりもうまく発表できる。

ステップ1　本文を読んで全体をつかもう

キーワード：目標、モチベーション、イメージ　→　テーマは、モチベーション？

ステップ2　問いを見て本文から答えを探そう

1）下線部の文を見る

「成功する人はみな、…と思った瞬間、実は…①明日…明後日の…身につけて…。」

下線部の意味がはっきりわからなくてもいい。「成功する人」についての例を探す。

2）本文中の例を見る

第2段落のはじめ　「たとえば」　＝　魚釣りの例

魚釣りの例：		成功する人
「明日は朝から釣りに行ってこうしようと」と思う 「その時点で頭の中では魚を釣っている」	→	実際に始める前にプラスイメージを作って頭の中ではすでに成功している

ステップ3　選択肢と比べよう

1：イメージが大切なので、思うことをやめてはいけない。

2：正解

3：早く発表したくなるとは書かれていない。

4：イメージが大切なので思うことをしなければならない。

・本文に具体例がある場合は、それを参考にして考えよう。

例を問う

練習39　問いに対する答えとして最もよいものを一つ選びなさい。

運動を続けて、体調（たいちょう）がよくなるのを実感できるのは数週間後からでしょう。しかし、その間にさまざまな「いいわけ」トラブルが出てきます。すると例えば、毎日続けられる確率が70%なら、10日連続して続けられる確率は0.7の10乗（じょう）＝0.028、つまり2.8%。ほとんどの人は途中でくじけて(注1)しまうのです。

これを防ぐには「意志（いし）の力に頼らなくても、続けられる仕組み（しくみ）(注2)を作ること」に尽（つ）きます。運動を続けたいなら、家の場所を最寄（もよ）りの駅から歩いて15分かかるところにすれば、毎日、30分歩くことになります。あるいは、スポーツクラブに入るときのコツは「家か職場か、どちらかに必ず近いところにすること」と「極力（きょくりょく）(注3)、手ぶら(注4)で行けること」、さらに「固定（こてい）レッスンや予約などをとってスケジュールを確保（かくほ）すること」。どんなに意志が弱い人でも、続けられるようにするのです。

（勝間和代「人生を変えるコトバ」朝日新聞2009年5月16日）

（注1）くじける：がんばろうとする気持ちをなくす

（注2）仕組み（しくみ）：何かがうまく進むように工夫された計画

（注3）極力（きょくりょく）：できるだけ

（注4）手ぶら：手に何も持たないこと

問い 運動を続けられる仕組み（しくみ）の例として、最も適切なものはどれか。

1　「がんばって運動しよう！」と毎朝声に出して言う。

2　細かく計画を立て、毎日そのとおりに運動する。

3　運動したら、内容と時間を手帳（てちょう）に書く。

4　犬を飼（か）い、犬の運動のために毎日30分一緒に歩く。

練習40　問いに対する答えとして最もよいものを一つ選びなさい。

「“ことほぐ”って知ってる？」

若い人三人に尋(たず)ねてみた。

一人が「知らない」と首を振(ふ)る。二人が「お祝いすることでしょ」と答えてくれた。

「じゃあ、友人の結婚を聞いてひとり静かにことほぐ、これ、正しい？」

重ねて尋ねると、ジロリとにらむ。わざわざ聞かれるのは「正しくない」からだろうけれど、どこがどうちがうかわからない、そんな心境(しんきょう)にちがいない。

その通り、正しくない。“ことほぐ”は“言葉を告(つ)げて(注1)祝う”こと。ひとり静かに黙(だま)って祝うのは、ことほぐではない。ただ、ほとんどの場合、祝うと言えば「おめでとうございます」とか「よかったねえ」とか言葉を発(はっ)して祝うから“ことほぐ”と“祝う”とが同義語(どうぎご)に思われてしまうのだろう。屁理屈(へりくつ)をこねれば、お祝いのプレゼントだって、なにかしら言葉をそえて贈る。言葉なしでただ贈るのは、失礼、と、これが良識(りょうしき)だろう。やっぱりことほいでいるのだ。

(阿刀田高『日本語えとせとら——ことばっておもしろい』時事通信出版局)

(注1) 告(つ)げる：言葉などで自分の考えを相手に知らせる

問い　筆者が考える「ことほぐ」という言葉の正しい使い方はどれか。

1　新年をことほぎ、ごあいさつを申し上げたいと思います。

2　一人で酒を飲み、新年をことほぎたいと思っています。

3　新年をことほぐため、新しい服を着ます。

4　家にきれいな花を飾(かざ)って、新年をことほぐつもりです。

例を問う

練習41　問いに対する答えとして最もよいものを一つ選びなさい。

小学校に上がるころ、ほとんどの人が聞いたり歌ったりした記憶があると思いますが、「一年生になったら」という歌があります。「一年生になったら、友だち百人できるかな」という歌詞なのですが、あれってけっこう強烈なメッセージですよね。小学校の一年生になったら、友だちを百人作りたい、あるいは百人友だちを作ることが望ましいのだという、暗にプレッシャー(注1)を感じた人も多いのではないでしょうか。

学校というのは、とにかく「みんな仲良く」で、「いつも心が触れ合って、みんなで一つだ」という、まさにここで私は「幻想(注2)」という言葉を使ってみたいのですが、「一年生になったら」という歌に象徴されるような「友だち幻想」というものが強調される場所のような気がします。けれど私たちはそろそろ、①そうした発想から解放されなければならないと思っているのです。

(菅野仁『友だち幻想　人と人の〈つながり〉を考える』筑摩書房)

(注1) プレッシャー：精神的な圧力

(注2) 幻想：実際にはないことをあるかのように想像すること

問い　①そうした発想から解放されなければならないとあるが、筆者のこの考えに従った行動の例として、最も適切なものはどれか。

1　クラスの仲間同士、お互いのいい点を見つけ、対立が起きないようにする。

2　一人で行動している子供がいたら、その子が仲間に入れるようみんなが努力する。

3　どうしても気が合わない相手がいたら、無理に話をしなくてもいい。

4　やりたくないのなら、クラス全員で決めた掃除当番などの仕事をしなくてもいい。

実力養成編

第2部　広告・お知らせ・説明書きなど

第２部では、生活や仕事の中でよく見る文章（ビジネスレター、メール、広告、お知らせ、説明書き、表・リストなど）を読みます。これらの文章は、最初から最後まで全部理解する必要はないので、わからない言葉や表現は飛ばして読んでください。ここでは問いの種類を二つに分類し、それによって文章の読み方を変えて正解を導きます。

「問い」を読んで、どちらの種類の問いか、判断する。

1．タイトルを選ぶ、目的を問う　→全体をつかむ―全体的な内容を尋ねる問い

2．「いつ」「どうやって」などを問う　→情報を探し出す―部分的な内容を尋ねる問い

1．全体をつかむ―全体的な内容を尋ねる問い

ビジネスレター、メール、貼り紙などの内容、目的を読み取る。

ステップ１　問いを読もう

タイトルを選ぶ　文章の目的を問うなど

ステップ２　どのような文章か知ろう

◇全体にざっと目を通す。

何の文章か？　ビジネスレター、メール、貼り紙、お知らせなど

◇一般的な形式についての知識を使う。

手紙やメールなどには一般的な形式がある。その形式を知っていれば、文章の目的やいちばん伝えたいことがどこにあるかすぐにわかる。

ステップ３　選択肢と比べよう

読み取った情報と選択肢を比べ、正解を探す。

2．情報を探し出す―部分的な内容を尋ねる問い

広告、お知らせ、説明書き、表・リストから必要な情報を探す。

ステップ１　問いと選択肢を読もう

問いと選択肢からどのような情報を探すべきか見る。

例：いくら？　いつ？　何が必要？　など

ステップ２　どこに情報があるか探そう

◇問いと選択肢にある言葉をキーワードとして答えを探す。

例：いくら？　→　本文中から数字、「～円」、「¥」などを探す。

電話する？　→　本文中から「電話」「おかけください」などを探す。

◇広告か、お知らせか、説明書きかなど、文章の種類をつかんだ上で、自分の知識を活用する。

例：安売りの広告なら、何がいくら安くなるか、いつからいつまで安いかなどの情報が書いてあるはずである。その知識を使って、わからない言葉や数字の意味を推測する。

◇目立つ部分に注目する。

◇タイトル

◇項目／見出し

◇大きい字、太い字、小さい字

◇下線

◇矢印、番号

◇枠、囲み

ステップ３　正しい答えを選ぼう

読み取った情報から正解を探す。

１、２ともに、例題の後に語いリストをつけた。

重要語い：例題の本文及び選択肢の中にある語いのうち、問いを解く上で重要な語い

関連語い：同じようなテーマの問題を解く上で覚えておいたほうがいい語い

練習の語い：練習で使われている重要語い

・省略語など意味がわかりにくいものには、(　　)内に説明を加えた。

1. 全体をつかむ—全体的な内容を尋(たず)ねる問い

☆ 例題17　問いに対する答えとして最も近いものを一つ選びなさい。

2012年09月10日

イトウ・マリア先生

サウスゲート外国語学院

学院長　内田けい子

拝啓　初秋の候、先生におかれましてはますますご清栄のこととお慶び申し上げます。

昨年、先生に翻訳していただきましたパンフレットは、非常にわかりやすいと受講生の皆さんに好評です。その節は本当にありがとうございました。

さて、この度当学院では、来年1月よりポルトガル語講座を開講することとなりました。「旅行に役立つ初級ポルトガル語コース」と「中級ポルトガル語コース」です。つきましては、先生に講師をお願いしたくご連絡を差し上げた次第です。突然のお願いで誠に恐縮ですが、ご検討いただければ幸いです。

尚、日程や謝礼等の詳細につきましては、後ほど担当の木村みち子よりご連絡いたしますので、改めてご相談させてください。

お忙しいとは存じますが、是非お引き受けいただきたくお願い申し上げます。

敬具

問い この文章の内容に最も近いものはどれか。

1　ポルトガル語講座(こうざ)のパンフレットの翻訳(ほんやく)を依頼している。

2　ポルトガル語講座のパンフレットを翻訳してもらったお礼を述べている。

3　ポルトガル語講座を開講(かいこう)することを伝えている。

4　ポルトガル語講座を担当してもらいたいと頼んでいる。

重要語い

謝礼(しゃれい)　詳細(しょうさい)　依頼(いらい)(お願(ねが)い)　お礼(れい)

関連語い

感謝(かんしゃ)

ステップ1　問いを読もう

問い：文章の目的は何か。

ステップ2　どのような文章か知ろう

◇外国語学院の学院長からイトウ・マリアさんへの手紙（ビジネスレター）。

◇このビジネスレターの目的／本題は「さて、この度」「つきましては」の後にある。

　さて、この度当学院では、…ポルトガル語講座を開講することとなりました。

　つきましては、先生に講師をお願いしたく…。

ステップ3　選択肢と比べよう

1：パンフレットの翻訳をお願いしたのは昨年である。

2：パンフレット翻訳のお礼は、あいさつである。

3：講座の開講を知らせることは依頼のための前置きである。

4：正解

ビジネスレターの一般的な形式

○年○月○日	←日付（手紙を書いた日）
～先生（～様／各位）	←宛名／宛先
○○○○	←差出人氏名（会社名・肩書き・名前） 差出人氏名は右下のこともある。
拝啓　××××××××××××××。	←あいさつ　「拝啓」は手紙の初めに使われる。
さて、この度××××××××××××	←本題の始まり／状況説明
××××××××。つきましては／それに	←本題（お願い／報告など）
伴って、××××××××××××××	ここが重要！
尚（但し）、××××××××××××。	←追加情報（注意／気をつけることなど）
××××××××××××××××。	←あいさつ
敬具	「敬具」は手紙の最後に使われる。

☆ 例題18　問いに対する答えとして最もよいものを一つ選びなさい。

平成24年7月2日

マンション南川にお住まいの皆様

マンション南川管理組合

①＿＿＿＿＿＿＿＿＿＿＿＿＿＿＿＿

当マンションでは毎年２回、居住者の皆様のご協力を得て、敷地内及びマンション周辺の草取りを行っています。今年も例年通り、７月21日(土曜日)午前10時から約１時間、草取りを行います。お時間のある方はご協力をお願いします。

尚、作業に必要な軍手、鎌などは各自お持ちください。また、炎天下での作業が予想されますので、適宜、帽子、タオル、水等もご準備ください。

雨天の場合は28日(土曜日)に延期します。

問い合わせ先：マンション南川管理室　田中
電話：03-329-6521
当日連絡先：090-0000-0000

問い　この文章のタイトルとして①＿＿＿に入るのはどれか。

1　雨天(うてん)作業延期のお知らせ
2　草取(くさと)り作業参加のお願い
3　軍手(ぐんて)、鎌(かま)などの持参のお願い
4　炎天下(えんてんか)での作業のご注意

ステップ１　問(と)いを読(よ)もう

問(と)い：タイトルはどれか。

重要語い
当(とう)～　及(およ)び　例年(れいねん)　延期(えんき)

関連語い
通知(つうち)(お知(し)らせ)　お詫(わ)び　謝(あやま)る　謝罪(しゃざい)　ご招待(しょうたい)(お誘(さそ)い)　変更(へんこう)

ステップ２　どのような文章か知ろう

◇マンション南川の管理組合から、住んでいる人へのお知らせの文章

◇タイトルはいちばん伝えたいこと／本題を短い言葉でまとめたもの。

本題は、「さて」「この度」「つきましては」「それに伴って」などの後にある。しかし、このお知らせのように、それらがない文章では、「お願いします」「ご注意ください」などの表現を探し、何のお願い／ご注意かを読み取る。

…草取りを行います。…ご協力を お願いします 。

ステップ３　選択肢と比べよう

1：「延期」については追加情報なので、主要なお知らせではない。

2：正解

3：「尚」の後は追加情報なので、主要なお願いではない。

4：「炎天下の作業…」は、帽子などを準備するための理由である。

お知らせ文／お願い文の一般的な形式

○年○月○日　←日付（文章を書いた日）

～皆様（～様／各位）

○○○○　←文章を書いた人／団体の名前（会社名・肩書き・名前・連絡先）
氏名は右下のこともある。

××××× ←タイトル

××××××××××××××××。　← 本題の始まり／状況説明
××××××××××××××××××××

×××××お願いします／ご注意ください／ご報告します。　← 本題（お願い／注意／報告など）
××××が特に重要

ここが重要！

尚、×××××××××××××××。　← 追加情報（注意／気をつけることなど）

問い合わせ先：○○○
tel: xxx-xxxx

※個人に宛てたものでない場合は、初めと終わりのあいさつは省略されることがある。

☆ 例題19　問いに対する答えとして最もよいものを一つ選びなさい。

差出人：unei@esea-bpx.co.jp

宛先：kaiin@esea-bpx.co.jp

日時：2012年11月15日 09:25:54

件名：第28回ビジネス交流会

ESEAビジネス・パートナーズ会員の皆様

初冬の候、ますますご清栄のこととお慶び申し上げます。
さて、12月のビジネス交流会についてお知らせいたします。今回は、「日本における外食産業」をテーマに、日本への進出をお考えの海外企業会員様が情報交換を行う会といたします。ゲストとしてすでに日本に飲食店を出店していらっしゃる海外企業様をお招きし、お話を伺う機会を設ける予定です。これから日本で外食ビジネスをお考えの皆様、是非ご参加ください。

日時：2012年12月14日(金)
　　　15時～17時

場所：マツザワ緑ビル４階　大会議室
　　　〒161-1111　東京都渋谷区緑町2-3-333
　　　http://www.matsuzawa-midorixx/info/access/

料金：3000円

定員：100名

申し込み締め切り日：11月26日

お申し込み・お問い合わせ：株式会社　ESEAビジネス・パートナーズ
　　　セミナー運営部
　　　unei@esea-bpx.co.jp（Tel: 03-329-6521）

株式会社　ESEAビジネス・パートナーズ

セミナー運営部　チョウ　ケイシュン

chang-unei@esea-bpx.co.jp Tel: 03-329-6521

問い この文章の目的として最も適切なものはどれか。

1　12月は年末なので、なるべく多くの海外企業会員がこの交流会に出席するように呼びかけている。

2　日本で飲食店を開きたいと考えている海外企業会員に、12月の交流会に参加してほしいと誘っている。

3　日本の外食産業について情報を得られるいい機会なので、交流会に是非参加したいと言っている。

4　すでに日本で出店している企業と情報交換できるこの交流会は、ビジネスにとって重要であると言っている。

ステップ1　問いを読もう

問い：文章の目的は何か。

ステップ2　どのような文章か知ろう

◇ESEAビジネス・パートナーズのチョウさんから会員へのメール。

件名：第28回ビジネス交流会

◇このメールの目的／本題は、「さて」の後と「ください」の前にある。

さて、12月のビジネス交流会についてお知らせいたします。…

これから日本で外食ビジネスをお考えの皆様、是非ご参加ください。

ステップ3　選択肢と比べよう

1：年末だから出席するように誘っているのではない。

2：正解

3：メールを書いた人が参加したいのではなく、参加するよう誘っている。

4：情報交換が重要であるとは書かれていない。

ビジネスメールの一般的な形式

差出人：xxxxxx	←メールを出した人
宛先：ssssss	←メールを受け取った人
日時：zzzz年zz月zz日	←メールを送った／受け取った日時
件名：aaaaaaaaaaaa	←タイトル
～皆様（様／先生／各位）	←メールを受け取った人（会社名・名前など）
××××××××××××××××××。	←あいさつ
さて、×××××××××××××××。	← 本題の始まり／状況説明
×××××××××××××××××××	
××××× ください。	← 本題 ××× がお願いの内容
××：××××	←詳しい内容 （日時・場所など）
××：××××	
××：××××	
○○○	←メールを出した人（会社名・名前・連絡先など）

ここが重要！

重要語い

ビジネス　企業　機会を設ける　締め切り

関連語い

折り返し　返送

練習の語い

併せて　発送　配送　設備　定期点検　来る～月～日　停電

品切れ　納品　了承　取り消す

練習42　問いに対する答えとして最もよいものを一つ選びなさい。

件名：ご注文ありがとうございます

マリア・ロジャーズ様

イーオフィスの田中でございます。
この度は本棚のご注文ありがとうございました。
以下ご注文内容をご確認ください。
併せて発送予定日のご確認もお願いいたします。
尚、発送が完了いたしましたら送り状番号をお知らせいたします。

[ご依頼主]　マリア・ロジャーズ様
[受注番号]　31690
[お支払方法]　クレジットカード
[配送方法]　しろくまエキスプレス
[お届け先]　ご本人様宛
〒111-1111　東京都新宿区やよい1－1－1－101
[発送予定日]　2012/04/07
[購入品]　組み立て式本棚　52887
価格 ¥9,625 × 2 ＝¥19,250

小計　¥19,250
消費税　¥　962
合計　¥20,212

ご不明な点がございましたら、お問い合わせください。

有限会社イーオフィス　田中友子
〒562-0035
大阪府箕面市山崎10-10-10箕面フレールビル3階
(TEL) 072-000-0000　(FAX) 072-000-000X
mailto:shop@e-officexx.co.jp

問い　この文章の目的として最も適切なものはどれか。

1　受けた注文の確認と発送(はっそう)予定日の通知
2　発送が完了したことの確認
3　代金支払いのお願い
4　送(おく)り状(じょう)番号の通知

練習43　問いに対する答えとして最もよいものを一つ選びなさい。

2012年3月8日

渋谷ハウス居住者の皆様

渋谷ハウス管理組合

『電気設備の定期点検』のお知らせ

拝啓　時下ますますご清祥のこととお慶び申し上げます。

さて、来る3月15日、渋谷ハウス共用部分電気設備の定期点検を行いますので、ご連絡申し上げます。

つきましては、下記の時間、共用部分が停電となり、エレベーターも停止いたします。ご不便をおかけいたしますが、ご協力、よろしくお願いいたします。

尚、この点検による各戸の停電はございません。

敬具

『電気設備点検』

実施日時：3月15日　9：00～11：00

実施業者：スターサービス㈱

問い　渋谷(しぶや)ハウスに住んでいるリンさんは、上のようなお知らせを受け取った。内容として最も適切なものはどれか。

1　3月15日の9時から11時まで渋谷ハウス全体が停電する。

2　3月15日の9時から11時まで電気設備を点検(てんけん)するが、停電はしない。

3　3月15日の9時から11時まで共用(きょうよう)部分が停電して、エレベーターが使えなくなる。

4　3月15日の9時から11時まで電気設備の点検で、自分の住んでいる部屋が停電する。

練習44　問いに対する答えとして最も良いものを一つ選びなさい。

差出人：staff@gateauchocolatxx.com <staff@gateauchocolatxx.com>

宛先：maria ito <maria_ito_ssss@xxxxx.com>

件名：①＿＿＿＿＿＿＿＿＿＿＿＿＿＿＿＿

伊東マリア様

本日は、「クッキー星の砂」を10箱ご注文いただき、誠にありがとうございます。

いつもお引き立てにあずかり厚く御礼申し上げます。

さて、ご注文いただきました「クッキー星の砂」ですが、非常にたくさんのご注文をいただいており、現在生産が追いつかず、品切れの状態です。せっかくご注文いただきましたのにすぐにお送りできず、申し訳ございません。本日のご注文ですと、お送りできるのが早くても1か月先の4月20日以降となってしまいます。

つきましては、納品時期の遅れをご了承いただき、このままご注文いただけるか、ご注文をお取り消しになられるか、改めてご検討いただけますでしょうか。このままご注文いただいたお客様には、改めましてお届け日をご連絡いたします。

ご回答は本メールにご返信ください。

ご不明な点がございましたら、ご遠慮なくお問い合わせください。

今後とも当店をよろしくお願い申し上げます。

(株) ガトーショコラ

〒160-1111　東京都新宿区新宿５－６－７

Tel：03-329-6521

Fax：03-329-5754

e-mail：staff@gateauchocolatxx.com

問い このメールの件名として①＿＿＿に入る最も適切なものはどれか。

1　新商品のご案内

2　品切れのお詫び

3　ご注文ありがとうございました

4　ご注文お取り消しいたしました

2. 情報を探し出す—部分的な内容を尋(たず)ねる問い
1) 広告

☆ 例題20　問いに対する答えとして最もよいものを一つ選びなさい。

有効期限　3 / 5（金）10:30～ 4 / 1（木）

春の割引クーポン

クーポン価格

¥490

通常価格￥540

ハンバーガー＋フライドポテトS＋ドリンクM

＊1回限り、1枚で2セットまでご利用いただけます。＊ドリンクは、セットドリンクからお選びいただけます。＊モーニングタイム（10:30まで）以外でご利用ください。＊表記しているサイズのみ有効です。＊クーポンは切り取ってご利用ください。

ご注文はこちらのクーポン番号で　**35**

問い　このクーポンを1枚持っている。使い方として正しいものはどれか。

1　3月31日午前9時にこのセットを2つ注文する。

2　4月10日午後6時にこのセットを2つ注文する。

3　3月27日午後3時にこのセットを2つ注文する。

4　3月5日午前10時半にこのセットを3つ注文する。

ステップ１　問いと選択肢を読もう

問い：クーポンの使い方は？

選択肢：何日？　何時？　いくつ？

ステップ２　どこに情報があるか探そう

◇一般的な知識を使う。　→　クーポンには、通常価格、割引価格、使える期間（有効期限）、商品などが書いてある。

◇大きい字・太い字に注目する。　→　皆に知らせたいことは目立つ字で書かれている。

３/５～４/１、割引クーポン、¥490、

ハンバーガー＋フライドポテトＳ＋ドリンクＭ

◇小さい字に注目する。　→　小さい字は大事な注意が書かれていることがある。

＊１回限り、１枚で２セットまでご利用いただけます。

＊モーニングタイム（10:30まで）以外でご利用ください。

ステップ３　正しい答えを選ぼう

１：９時はモーニングタイムなので使えない。

２：４月１日までしか使えない。

３：正解

４：２セットまでしか使えない。

重要語い

有効期限　割引　クーポン

関連語い

値引き　サービスする　〔コーヒー〕付き　セール　バーゲン　以降　金額

1）広告

例題21 問いに対する答えとして最もよいものを一つ選びなさい。

キッズスクール
生徒募集！

サッカーで、

楽しく全身運動ができる！

集団生活に慣れる！

友達をたくさんつくろう！

曜日 … 毎週水曜日　　時間 … 15:00～16:00

対象 … ３歳～５歳の男女　　場所 … 森山公園内グラウンド

定員 … 40名　　月謝 … 4,000円

持参するもの … 運動靴

・いつからでもご入会いただけます。（月途中からのご入会につきましては、参加回数に応じて月謝をお支払いいただきます。）

・入会希望の方は、前日までに以下お申し込み先にご連絡ください。

尚、無料体験会もございます。ご興味のある方は、是非お気軽にご参加ください。

開催日時：５月15日（土）・16日（日）　10:00～11:00

＊ご都合の良い日をお選びください。

対象：３歳～５歳の男女

場所：森山公園内グラウンド

定員：10名

申し込み締め切り：５月12日

申し込み・お問い合わせ

ミヤモリサッカークラブ　Tel: 000-0000-0000

問い サッカースクールに子供を入会させたい。どうすればいいか。

1　水曜日、15時に森山公園のグラウンドに行って申し込む。

2　入会希望日の前日までにミヤモリサッカークラブに電話して申し込む。

3　5月12日までにミヤモリサッカークラブに電話して申し込む。

4　入会希望日の前日までに森山公園のグラウンドに行って申し込む。

ステップ1　問いと選択肢を読もう

問い：サッカースクールに参加する方法は？

選択肢：いつ申し込む？　どこに申し込む？

ステップ2　どこに情報があるか探そう

◇問いと選択肢のキーワードを見つける。　→　「入会」「申し込む」

いつからでもご入会いただけます。

入会希望の方は、前日までに以下お申し込み先にご連絡ください。

申し込み・お問い合わせ

ミヤモリサッカークラブ　Tel: 000-0000-0000

ステップ3　正しい答えを選ぼう

1：水曜日、グラウンドで申し込むのではない。

2：正解

3：5月12日は、無料体験会の締め切り日である。

4：グラウンドで申し込むのではない。

募集広告の一般的な形式

〇〇〇募集！	←タイトル（何の募集か）
日時：××××××	
対象：××××××	←どんな人を募集しているか
場所：××××××	
定員：××××××	←何人まで参加できるか
参加費／月謝：××××××	←費用はいるか／いくらか
申し込み締め切り日：××××	←いつまでに申し込むか
（その他：××××××）	←持ってくるもの／注意することなど
連絡先：××××××	←会社名・名前・電話番号

※順番は決まっていない。強調したい情報は、上の方に太字で書いてあることが多い。

重要語い

募集　月謝　開催

関連語い

お試し　見学　資格　条件　応募

練習の語い

半額　～周年　トライアル　随時

広告

 練習45　問いに対する答えとして最も良いものを一つ選びなさい。

3/ 15 (月)

半額金券セール

＊お買い上げいただいた金額の半分の額の金券を
差し上げます。次回以降お使いになれます。

いつもご来店いただき誠にありがとうございます。
皆様のおかげで、無事1周年を迎えることができました。
これからもおいしいパンを食べていただけるよう、
スタッフ一同全力をあげてがんばりますのでこれからもご来店
くださいませ。

尚、金券の有効期限は4月30日です。

ブーランジュリ　イトウ

Tel. 03－329－6521

問い 「半額金券(はんがくきんけん)セール」の広告を見た。「半額金券セール」とはどのようなものか。

1　3月15日に、パンの値段が半額になる。
2　3月15日から4月30日まで、パンの値段が半額になる。
3　3月15日にパンを買うと、半額分の金券がもらえる。その金券はいつでも使える。
4　3月15日にパンを買うと、半額分の金券がもらえる。その金券は4月30日まで使える。

練習46　問いに対する答えとして最もよいものを一つ選びなさい。

スマート・フィットネスクラブ

スポーツの秋

トライアル７日間

初めての方でも安心！　是非お試しください！

施設見学
随時受け付け中！

たっぷり７日間　お試し体験

事前のご予約が必要です。

＊ご体験初日はクラブ指定の運動メニューでの体験となります。

期間：　10月**11**日〜**20**日

＊期間中ご都合の良い７日間をお選びください。

参加料金：　2000円

お持ちいただくもの：

運動に適した服・靴

タオル（バスタオルはお貸しします）

身分証明書（お申込み時、または初日にお持ちください）

ステップ１　まずはご予約

前日までにお電話かご来館で。

ステップ２　ご体験初日

担当のスタッフがおすすめのレッスン、運動メニューを提案いたします。

ステップ３　２日目〜７日目

ご自身のお好きなメニューで全施設をご利用いただけます。

ステップ４

ご体験最終日に担当のスタッフがご満足度についてお話を伺わせていただきます。

＊お一人様１回限りとさせていただきます。

＊施設休館日（毎月第４水曜日）は、ご利用いただけません。

スマート・フィットネスクラブ　tel: 111-000-0000

問い 体験（たいけん）コースに７日間参加したい。適切な方法はどれか。

1　７日に電話で予約し、12日から始める。

2　９日にフィットネスクラブに行って予約し、翌日（よくじつ）から始める。

3　11日にフィットネスクラブに行って予約し、その日から始める。

4　13日に電話で予約し、15日から始める。

2）お知らせ

例題22　問いに対する答えとして最もよいものを一つ選びなさい。

差出人：総務部　山本優子

宛先：zenshainn

件名：クリスマスパーティーのお知らせ

送信日時：今日15:00:23

社員各位

年も押し迫ってまいりました。

さて、恒例のクリスマスパーティーを今年も下記のとおり行います。お子様連れでの参加も歓迎いたしますので、是非ご参加ください。

つきましては、12月20日までに出欠と参加人数（大人○名、子供○名）を総務部山本までメールでお寄せください。

よろしくお願いいたします。

尚、小学生以下のお子様には、クリスマスプレゼントを用意しています。

日時　平成23年12月24日（土）

午後４時～午後８時

場所　山田ホテル２階クリスタルルーム

会費　3000円（小学生以下無料）

/_/

総務部総務課　山本優子

e-mail:yamamoto@abcd.efg.co.jp

Tel:03-0000-0000　内線：5555

問い　このメールをもらった。小学生の子供と一緒にパーティーに出席するつもりである。どうすればいいか。

1　返信（へんしん）する必要はなく、当日子供と二人で参加する。プレゼントは持って行かない。

2　当日までに子供と二人で参加すると返信する。プレゼントを持って行く。

3　12月20日までに子供と二人で参加すると返信する。当日プレゼントを持って行く。

4　12月20日までに子供と二人で参加すると返信する。当日プレゼントは持って行かない。

ステップ１　問いと選択肢を読もう

問い：小学生の子供と一緒にパーティーに出席する。どうすればいい？

選択肢：いつまでに？　返信する？　返信しない？　プレゼントは？

ステップ２　どこに情報があるか探そう

◇問いと選択肢のキーワードを探す。　→「出席」「参加」「返信」「プレゼント」

12月20日までに 出欠 と 参加 人数…を山本までメールでお寄せください。

出欠 ＝ 出席か欠席

お寄せください ＝ 送ってください

小学生以下のお子様には、クリスマス プレゼント を用意しています。

ステップ３　正しい答えを選ぼう

１：返信する必要がある。

２：当日までに返信するのではない。プレゼントは会社が用意する。

３：プレゼントは会社が用意する。

４：正解

重要語い

歓迎する　お寄せください　会費

関連語い

参加費　最寄り　弊社　御社

2）お知らせ

☆ 例題23　問いに対する答えとして最もよいものを一つ選びなさい。

ご不在連絡票

オウ・サイカ　様

お荷物の　☑お届け　□お引き取り

に参りましたが、ご不在でした。

ご依頼主様　山田花子　様から

□なまもの　☑食品　□衣類　□書類　□その他

□代引き　□着払い　□冷蔵　□冷凍

着払い・代引き

の金額　＿＿＿＿＿＿円

訪問日時　6月5日　9時11分

ご都合の良い日時を下記の連絡先までお電話ください。

ドライバー電話番号　080-0000-0000

ドライバー氏名　中谷明

お問い合わせ伝票番号　533-13-102-1111

●当店へ直接お荷物をお引き取りに来られる場合には、恐れ入りますが事前にご連絡の上、ご本人様のお名前、現住所を確認できる証明書等をご持参ください。

この連絡票　＋　ご印鑑　＋　運転免許証、健康保険証等の身分証明書

しろくま宅配便　〒555-5555　東京都新宿区川田町1-2-3

川田営業所　03-0000-0000（9:00～17:30）

問い　オウ・サイカさんの郵便受けにこの紙が入っていた。荷物を受け取るにはどうすればいいか。

1　ドライバーに電話をして、配達してもらいたい日時を伝える。

2　印鑑、パスポートを持って、近くのしろくま宅配便に直接取りに行く。

3　送り主に電話して、もう一度送ってもらう。

4　ドライバーから電話がかかってくるのを待つ。

ステップ1　問いと選択肢を読もう

問い：受け取るにはどうすればいい？

選択肢：電話する？　取りに行く？　送ってもらう？　電話を待つ？

ステップ2　どこに情報があるか探そう

◇太い字、大きい字に注目する。

ご不在連絡票　（不在＝留守）

オウ・サイカ様

山田花子様

しろくま宅配便

→　しろくま宅配便が、オウ・サイカさんの留守中に、山田花子さんからの荷物を届けに来たことを知らせる文章。

◇問いと選択肢のキーワードを探す　→　「受け取る」「電話」「直接取りに行く」
「もう一度送ってもらう」「電話を待つ」

ご都合の良い日時を下記の連絡先までお 電話 ください

●当店へ 直接 お荷物をお 引き取り に来られる場合には、…事前にご連絡の上、…をご持参ください。

この連絡票　＋　ご印鑑　＋　運転免許証、健康保険証等の身分証明書

ステップ3　正しい答えを選ぼう

1：正解

2：印鑑とパスポートだけでは足りない。事前に連絡しなければならない。

3：送り主に連絡するのではない。

4：ドライバーが電話連絡をするとは書かれていない。

不在連絡票の一般的な形式

ご不在連絡票／郵便物等お預かりのお知らせ	←タイトル（宅配便／郵便物）
○○○様	←届け先の名前
お届けに参りましたが、ご不在でした。	←訪問の目的
△△△様から	←荷物の送り主
□なまもの □食品 □衣類 □書籍 □その他	←荷物の内容 ○や ✓ がついている
□着払い（送料） □代引き（商品の代金） 金額＿＿＿＿＿＿＿円	←お金を払う必要があるかどうか ○や ✓ がついている
お問い合わせ伝票番号 XXX-XX-XXX-XXXX	
■再配達受付電話・ファックス番号 ・再配達オペレーター受付 TEL 03-329-6521（受付時間8:00～18:00） FAX 03-329-5754（24時間受信） ・ドライバー受付 ドライバー電話番号 080-0000-0000 ドライバー氏名 ○○○○	←もう一度配達してもらうとき
■お引き取りの場合は ××××××××××××××××	←自分で取りに行くとき いつ・どこ・何を持って行く

重要語い

ご不在連絡票　引き取る　依頼主　なまもの　冷蔵　冷凍　着払い　代引き
伝票番号　印鑑　運転免許証　健康保険証　身分証明書　宅配便

関連語い

お届け日　〜現在　認め（認め印）

2) お知らせ

例題24 問いに対する答えとして最もよいものを一つ選びなさい。

2011年8月10日

渋谷ハウス居住者の皆様

ゴミの出し方について注意！

毎週金曜日に、間違ったゴミの出し方をしている人がいます。ゴミは決められた曜日に出してください。

□**金曜日と土曜日**は、**資源ゴミの日**です。

金曜日：ビン、缶、ペットボトル

土曜日：新聞、雑誌、段ボール

＊ビン、缶、ペットボトルは、１つの袋に入れずに、別々に、それぞれのカゴの中に捨ててください。

□**金属製品やガラス製品は資源ゴミではありません。燃えないゴミ**です。

燃えないゴミは奇数週（１週目、３週目、５週目）の火曜日に出してください。

以上、よろしくお願いします。

渋谷ハウス管理組合

問い 渋谷(しぶや)ハウスに住んでいるリンさんは、割れたコップをゴミに出そうと思っている。いつ捨てればいいか。今日は8月10日である。

1　12日

2　13日

3　16日

4　23日

8月						
日	月	火	水	木	金	土
	1	2	3	4	5	6
7	8	9	10	11	12	13
14	15	16	17	18	19	20
21	22	23	24	25	26	27
28	29	30	31			

ステップ１　問いと選択肢を読もう

問い：割れたコップをいつ捨てればいい？　今日は８月10日

選択肢：12日？　13日？　16日？　23日？

ステップ２　どこに情報があるか探そう

◇問いと選択肢のキーワードを探す。　→　「割れたコップ」　＝　ガラス製品

金属製品や ガラス製品 は資源ゴミではありません。燃えないゴミです。

燃えないゴミは奇数週（１週目、３週目、５週目）の火曜日に出してください。

今日は８月10日　→　次の燃えないゴミの日は３週目の火曜日

ステップ３　正しい答えを選ぼう

１：12日（金曜日）は燃えないゴミの日ではない。

２：13日（土曜日）は燃えないゴミの日ではない。

３：正解

４：23日（４週目の火曜日）は燃えないゴミの日ではない

重要語い

資源ゴミ　金属　奇数　管理組合

関連語い

偶数　分別　指定ゴミ袋

練習の語い

医療機関　保健所　救急　防災訓練　実施　震度　避難　マニュアル

練習47　問いに対する答えとして最もよいものを一つ選びなさい。

平成24年3月15日

ジョン・スミス様

ＡＡＡコミュニケーションズ

料金お支払いのお願い

(利用停止の予告について)

拝啓　平素はＡＡＡコミュニケーションズをご利用いただきまして、ありがとうございます。

さて、お客様ご利用の弊社サービスに係る料金につきまして、平成24年03月15日現在お支払いの確認が取れておりません。

恐れ入りますが、本状にて下記利用停止予定日前日までに最寄りのコンビニエンスストアでお支払いいただきますよう、お願いいたします。

お支払いがない場合、下記予定日にて弊社サービスのご利用を停止させていただきますので、ご注意ください。

尚、行き違いによりお支払い済みの場合は何とぞご容赦ください。

敬具

利用停止予定日
平成24年3月31日

問い　スミスさんはこの手紙を受け取った。しなければならないことは何か。

1　3月30日までに電話会社で料金を払う。

2　3月30日までにコンビニエンスストアで料金を払う。

3　3月31日に電話会社で料金を払う。

4　3月31日にコンビニエンスストアで料金を払う。

練習48　問いに対する答えとして最もよいものを一つ選びなさい。

新型インフルエンザの電話相談体制を変更します

インフルエンザに関する相談や医療機関の案内などを行ってきた、電話窓口「新型インフルエンザ相談センター」は3月31日で終了しました。4月1日から、新型インフルエンザの相談は、最寄りの保健所(月～金、9時～17時、祝除く)で行っています。

尚、医療機関の案内は、医療相談センター「ひまわり」☎03－329－6521(24時間)で、育児相談や小児救急相談など母子の健康に関する相談は、「母と子の健康相談室(小児救急相談)」☎03－329－5754(月～金、17時～22時、土・日・祝、9時～17時)でお受けします。

お問い合わせ　福祉保健局感染症対策課☎03－329－6196

問い　子供が高熱を出した。インフルエンザかもしれない。今、日曜日の午後3時である。電話で相談できるのはどこか。

1　「新型インフルエンザ相談センター」
2　自分のうちの近くの保健所(ほけんじょ)
3　「ひまわり」
4　福祉保健局感染症対策課(ふくしほけんきょくかんせんしょうたいさくか)

練習49　問いに対する答えとして最もよいものを一つ選びなさい。

宛先：　zenshain@jpenx.co.jp

差出人：　総務部<bousai@soumu.jpenx.co.jp>

件名：　防災訓練のお知らせ

関係者各位

防災訓練のお知らせ

本年度の防災訓練を以下のとおり実施いたしますので、お知らせいたします。

日時

　平成23年9月15日（木曜日）

　午前10時00分～午前10時40分

訓練内容

　震度6の地震発生を想定した避難訓練

退避場所

　建物西側駐車場

実施方法

　1．非常ベルが鳴ったら、階段で建物外に出ること

　　エレベーターは使用しないこと

　2．退避場所（建物西側駐車場）で各所属部長のもとに集まること

　　部長は人数を確認し、防災訓練責任者に報告すること

　3．人数確認後、防災訓練責任者の指示により解散

・訓練に際しては、防災訓練責任者の指示に従うこと

・事前に防災訓練マニュアルに目を通しておくこと

以上、よろしくお願いいたします。

総務部　町田孝　<bousai@soumu.jpenx.co.jp>

（内線）3333

問い 社員(しゃいん)であるリンさんは、防災(ぼうさい)訓練のメールを受け取った。9月15日にどのように避難(ひなん)すればいいか。

1　非常ベルが鳴ったら、エレベーターで建物の外に出る。そこで自分の部の部長の指示を待つ。

2　10時になったら、階段を降りて、西側(にしがわ)の駐車場に行く。そこで防災訓練責任者の指示に従(したが)う。

3　非常ベルが鳴ったら、階段を使って建物の外に出る。西側駐車場で自分の部の部長を探し、そばに行く。

4　10時に非常ベルが鳴ったら、エレベーター横の階段を下りる。西側駐車場で人数(にんずう)を確認して部長に報告する。

3）説明書き

☆ 例題25　問いに対する答えとして最もよいものを一つ選びなさい。

のどが痛い風邪、熱のつらい風邪によく効く

カゼールＡＡＡ

効能・効果

風邪の諸症状（のどの痛み、発熱、悪寒、頭痛、鼻水、鼻づまり、くしゃみ、せき、たん、関節の痛み、筋肉の痛み）の緩和

用法・用量

年齢	１回服用量	１日服用回数
15歳以上	３錠	３回 食後30分以内
11歳～14歳	２錠	
５歳～10歳	１錠	
５歳未満	服用しないこと	

注　　意

１．次の人は服用しないでください。

⑴　本剤によるアレルギー症状を起こしたことがある人

⑵　本剤または他の風邪薬、解熱鎮痛薬を服用してぜんそくを起こしたことがある人

⑶　５歳未満の小児

２．服用時は飲酒しないでください。

３．服用後、乗り物または機械類の運転操作をしないでください。
（眠気が表れることがあります。）

４．直射日光の当たらない湿気のない涼しいところに保管してください。

５．小児の手の届かないところに保管してください。

問い リンさんと子供は風邪(かぜ)をひいたようである。自分と５歳の子供用にこの薬を買った。リンさんは夕食後(ゆうしょくご)、お客(きゃく)さんと打ち合わせをしなければならない。適切な行動はどれか。

1　夕食後、自分はこの薬を３錠(じょう)飲むが、子供には２錠飲ませる。その後車を運転して、お客さんに会いに行く。

2　夕食後、自分はこの薬を３錠飲み、子供には１錠飲ませる。その後電車でお客さんのところへ行き、打ち合わせをする。

3　夕食後、自分はこの薬を３錠飲み、子供には１錠飲ませる。その後車を運転して、お客さんに会いに行く。

4　夕食後、自分はこの薬を３錠飲むが、子供には２錠飲ませる。その後電車でお客さんのところへ行き、お酒を飲みながら打ち合わせをする。

ステップ１　問いと選択肢を読もう

問い：リンさんと子供は風邪をひいているので、薬を買った。リンさんは夕食後お客さんと打ち合わせをする。リンさんの適切な行動は？

選択肢：子供に何錠飲ませる？　薬を飲んだ後、運転してもいい？　薬を飲んだ後、お酒を飲んでもいい？

ステップ２　どこに情報があるか探そう

◇一般的な知識を使う。

薬の飲み方の説明書きには、薬の「効能・効果」「用法・用量」「注意」などが書いてある。

「注意」には重要な情報（してはいけないこと）が書いてある。

◇問いと選択肢のキーワードを探す。　→　「５歳」「〜錠」「運転」「お酒」

５歳〜10歳　　1錠

２．服用時は飲酒しないでください。

３．服用後、乗り物または機械類の運転操作をしないでください。

ステップ３　正しい答えを選ぼう

１：子供には１錠飲ませる。車を運転してはいけない。

２：正解

３：車を運転してはいけない。

４：子供には１錠飲ませる。お酒を飲んではいけない。

薬の説明書きの一般的な形式

○○○	←薬の名前
効能・効果　：	←どんな病気／症状のとき飲むか／飲むとどうなるのか
用法・用量　：	←大人／子供が１日に何回、いつ、どのように飲んだらいいのか
注意　：	←気をつけること、置いておく場所など

重要語い

症状　発熱　悪寒　緩和　服用　～錠　食後　～未満　アレルギー　保管

関連語い

～包　～粒　食前　食間

3) 説明書き

☆ 例題26　次の文章は、バスや電車の切符の代わりに使える磁気カード「norimo」について説明したものである。問いに対する答えとして最もよいものを一つ選びなさい。

「**norimo**」が使えなくなったとき

何らかの障害によって**norimo**が使えなくなったときは、再発行することができます。再発行には、手数料はかかりません。また、デポジットも必要ありません。

■お手続きの流れ

1　norimoを利用できる駅にて
再発行の申し込みを行ってください。
係員が 再発行整理券 を発行します。

申し込み時に必要なもの
使えなくなった norimo

↓

お受け取り期間
翌日から14日以内
それ以降は再度お申し込みが必要です。

↓

2　再発行norimoのお受け取り
申し込み手続きを行った駅でお受け取りください。

受け取り時に必要なもの
使えなくなった norimo
＋
再発行整理券

■注意事項

・再発行申し込みをしていただいた後、使えなくなったnorimoの停止手続きを行いますので、新しいnorimoをお渡しするのは、**翌日以降**になります。

・使えなくなったnorimoは、再発行norimoのお受け取りまでなくさないようにしてください。

・お渡しした再発行整理券は再発行できません。新しいnorimoお受け取り時に必要となりますので、大切に保管してください。

問い norimoが急に使えなくなってしまった。新しいnorimoに取り替えてもらう適切な方法はどれか。

1　norimoが使える駅で再発行整理券をもらう。→次の日、もう一度駅へ行く。→再発行整理券と使えなくなったnorimoを渡す。

2　norimoが使える駅で再発行整理券をもらう。→３週間後、もう一度駅へ行く。→再発行整理券を渡す。

3　norimoが使える駅で再発行整理券をもらう。→同じ日、もう一度駅へ行く→再発行整理券と使えなくなったnorimoを渡す。

4　norimoが使える駅で再発行整理券をもらう。→次の日、もう一度駅へ行く→再発行整理券を渡す。

ステップ１　問いと選択肢を読もう

問い：新しいnorimoに取り替えてもらうにはどうすればいい？
選択肢：再発行整理券をもらってから、いつ行く？　何を渡す？

ステップ２　どこに情報があるか探そう

◇矢印、番号に注目する。
「係員が 再発行整理券 を発行します。」の次の ⇨ と ２ を見る。

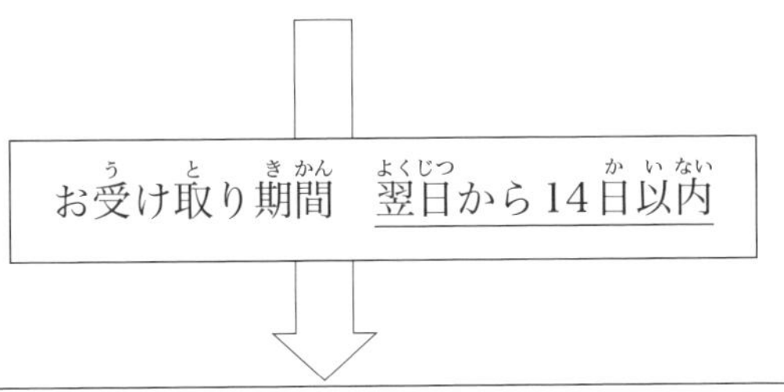

２　再発行norimoのお受け取り
申し込み手続きを行った駅でお受け取りください。

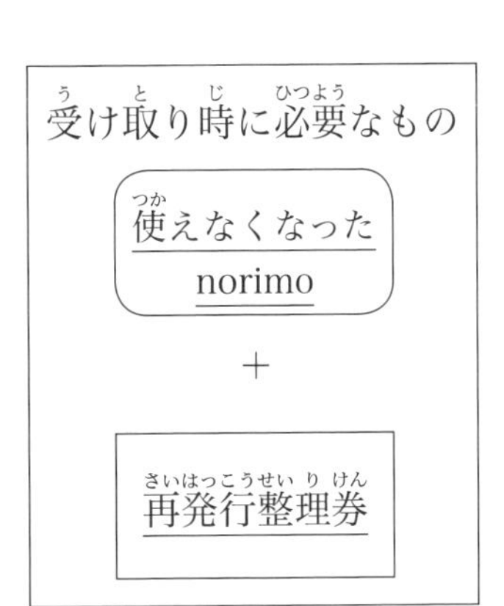

ステップ３　正しい答えを選ぼう

１：正解

２：再発行整理券をもらってから、14日以内に取りに行かなければならない。使えなくなったnorimoも必要である。

３：新しいnorimoは翌日以降にもらえる。

４：使えなくなったnorimoも必要である。

重要語い

障害　再発行　手数料　デポジット　翌日

関連語い

紛失　申請書　必要事項　払い戻し　責任を負う　管理　～桁

練習の語い

検査　控える　返品　交換　差額

練習50　問いに対する答えとして最も適当なものを一つ選びなさい。

胃カメラ検査　　ヘンドラ・チャン　殿

検査日時：11月8日午前9時半

(検査の30分前までに受付を済ませてください)

担当：山下

注意事項

●前日夜

検査前日の夕食は軽目にしてください。

のりなどの海藻、きのこ類など消化の悪いもの、香辛料は控えてください。

アルコールは飲まないでください。

水、お茶などの水分は取っても構いません。

●当日朝

朝から何も食べずに病院へおいでください。

水、お茶などの水分は取っても構いません。

何かわからないことがありましたら、お気軽にお尋ねください。

山田町病院　電話番号　03－0000－0000

問い 検査前日(ぜんじつ)の夜と、当日朝の食事内容について、最も適切なものはどれか。

1　前日の夜は、サンドイッチ少々とワイン1杯(ぱい)。当日の朝は何も口にしない。

2　前日の夜は、海藻(かいそう)サラダとハンバーグ。当日の朝は、紅茶1杯。

3　前日の夜は、野菜の煮物(にもの)、魚の塩焼(しおや)きとお茶。当日の朝は何も口にしない。

4　前日の夜は、さしみとご飯と野菜のみそ汁(しる)。当日の朝は、トースト1枚と水1杯。

練習51　マリアさんはヘルシーＬという通信販売で靴を買った。次の文章は商品とともに送られてきた返品・交換についての説明である。問いに対する答えとして最もよいものを一つ選びなさい。

商品の返品・交換について

ヘルシーＬでは、お客様に安心してご使用いただくため、商品にご満足いただけない場合は返品・交換を承ります。

○返品・交換方法

以下の「返品・交換シート」にご記入の上、商品とともにご返送ください。

＊商品は宅配便（着払い）でご返送ください。その際、今後のより良い商品とサービスのために、ご満足いただけない理由をお知らせください。

・お支払いがまだの場合

商品代金のお支払いの必要はありません。そのままご返送ください。

商品の交換を希望されるお客様は、交換商品の番号と商品数をご記入ください。交換商品に新たな振り込み用紙を同封いたします。お手元の振り込み用紙は破棄してください。

・お支払い済みの場合

返品をご希望のお客様は、返金先をご記入ください。

商品の交換を希望されるお客様は、交換商品の番号と商品数をご記入ください。差額を後ほど返金、または請求いたします。

------------------------------ キリトリ ------------------------------

<<返品・交換シート>>

イトウ　マリア　様　　　お客様番号0085223　　　ご請求番号6330285

商品番号	商品名	返送数量	交換商品番号	交換商品数	返品・交換理由
555-555	ウォーキング・シューズ（赤）	1	＿＿＿－＿＿＿		

お支払い済みの際は必ず下記事項をご記入ください。

＿＿＿＿＿＿＿＿銀行＿＿＿＿＿＿＿＿支店

口座番号＿＿＿＿＿＿＿＿＿＿＿＿＿＿

名義人　姓（カタカナ）＿＿＿＿＿＿＿＿　名（カタカナ）＿＿＿＿＿＿＿＿

問い マリアさんは靴の色が写真で見たのと違っていたので返すことにした。すでに払ってしまったお金を返してもらうにはどうすればいいか。

1　商品を宅配便(たくはいびん)でヘルシーＬに送る。「返品(へんぴん)・交換シート」に返品理由と自分の銀行口座(こうざ)の情報を書(か)き込(こ)み、郵便で送る。送料は後で返金(へんきん)される。

2　商品を着払(ちゃくばら)いの宅配便でヘルシーＬに送る。「返品・交換シート」に自分の銀行口座の情報を書き込み、郵便で送る。

3　「返品・交換シート」に返品理由を書いて、商品と一緒にヘルシーＬに宅配便で送る。送料は自分で払うが、後で返金される。

4　「返品・交換シート」に返品理由を書いて、自分の銀行口座の情報を書き込み、商品に同封して宅配便でヘルシーＬに送る。送料は着払いにする。

4) 表・リスト

☆ 例題27　キムさんはSomyT32Aというテレビを買おうと思っている。以下は、インターネットの価格比較サイトで検索した結果である。問いに対する答えとして最もよいものを一つ選びなさい。

順位	価格	送料	在庫・発送の目安	ショップ／支払い方法	コメント	ショップ情報
1位	¥52,240	¥600	問い合わせ	e-Shop 代 振 ク コ	約2週間でお届けできます 延長保証有り	詳細を見る▶
2位	¥52,500	無料	問い合わせ	アキバnet 代 振	納期約2～3週間、ご注文お待ちしています	詳細を見る▶
2位	¥52,500	¥1,800	有 当日発送可	Powerでんき 代 振 ク コ	即納です	詳細を見る▶
4位	¥52,800	無料	有 すぐ送れます	家電のKY 代 振	大型家電全国設置いたします	詳細を見る▶
4位	¥52,800	¥600	有 当日発送可	denkiyasan 代 振 ク コ	テレビ等、設置いたします	詳細を見る▶
6位	¥54,000	¥1,500	有 すぐ発送します	サカイ 代 振 ク コ	古いテレビを無料にて引き取ります	詳細を見る▶

代 代引き　　振 銀行振込　　ク クレジットカード支払い　　コ コンビニ支払い

問い　キムさんは買ったテレビをすぐに届けてほしいと思っている。クレジットカード支払いかコンビニ支払いで、いちばん安く買えるのはどこのショップか。

1　e-Shop
2　Powerでんき
3　家電のKY
4　denkiyasan

ステップ１　問いと選択肢を読もう

問い：すぐに届けてくれて、クレジットカード支払いかコンビニ支払いができるいちばん安いショップは？

選択肢：「e-Shop」「Powerでんき」「家電のKY」「denkiyasan」の中から問いの条件に合うものを探す。

ステップ２　どこに情報があるか探そう

◇項目「在庫（＝商品が店にあるかどうか）・発送の目安（＝いつごろ発送できるか）」を見る。

在庫有り　＝　Powerでんき　家電のKY　denkiyasan

◇項目「支払い方法」を見る。

ク　コ　＝　Powerでんき　denkiyasan

◇項目「価格」と「送料」を見る。

Powerでんき　¥52,500＋¥1,800＝¥54,300

denkiyasan　¥52,800＋　¥600＝¥53,400

ステップ３　正しい答えを選ぼう

１：届くまでに約２週間かかる。

２：価格と送料が選択肢４より高い。

３：クレジットカード支払い、コンビニ支払いができない。

４：正解

重要語い

在庫　延長保証有り　納期　即納　当日発送可　設置　銀行振込

関連語い

出荷　別途

練習の語い

展示　絵画　～世紀　公開　彫刻

練習52　ミハイさんは、美術館へ行こうと思い、情報誌(じょうほうし)を見ている。以下はその一覧表(いちらんひょう)である。問いに対する答えとして最もよいものを一つ選びなさい。

美術館／博物館	タイトル	展示内容紹介	展示期間
青田アート	10人の冬	今年、最も活躍した10人の若手による現代美術を紹介します。海外でも評価されている新進気鋭の日本人画家たちです。	12月20日まで
原田美術館	アメリカ現代美術展	アメリカ現代美術の一時代を創り上げた、ポップアーティストたちの作品を取り上げました。日本の現代絵画にも影響を与えたアメリカ現代美術のおもしろさを感じていただければ幸いです。	12月31日まで
森山美術館	１２３絵画展	出品作家は小田高、中瀬道夫、溝井聡子という、注目の現代作家です。それぞれの代表的な絵画作品を並べました。	10月26日～12月10日
三葉美術館	美人画展	江戸時代、その中でも特に17世紀後半から18世紀初めにかけての美人画を集めました。同時代の絵師による江戸の女性美を比べます。	10月26日～12月31日
都立博物館	飛べ　もっと高く	博物館所蔵の宇宙航空研究開発の資料など、航空・宇宙の技術開発の歴史をすべて公開。「はやぶさ」の実物大モデルもあります。	10月26日～12月31日
山の上美術館	岸大助 山で考えたこと	作品と自然が一つになった風景が広がります。庭に置かれた彫刻の数々。特に黒い石で作られた女性の像「座る女」「歩く女」「眠る女」は、是非見ていただきたい作品です。	11月2日～1月31日

問い ミハイさんは若い日本人画家による現代美術(びじゅつ)を見たいと思っている。12月12日に見られる美術館はどこか。

1　青田アート

2　森山美術館

3　三葉美術館

4　山の上美術館

実力養成編

第3部　実戦問題

第３部では、第１部、第２部で学んだことを応用し、実際の試験と同じ形式の問いに答える練習をします。ただし、一つの文章に問いが一つの形式（短文の問題）はすでに練習しましたので、ここでは扱いません。一つの文章に複数の問いがある形式の問題を解いていきましょう。

1．内容理解（中文）

評論、解説、エッセイなど 500 字程度の文章について、第 1 部で解いたような問いが出題されます。中文では問いが三つ程度あります。

2．主張理解（長文）

論理展開が比較的明快な評論など、900 字程度の文章について、第 1 部で解いたような問いが出題されます。問いが三つあり、その中の 1 問は筆者の主張を問うものです。

3．統合理解

統合理解は、比較的平易な二つ以上の文章（合計 600 字程度）を読んで問いに答える問題です。第 1 部、第 2 部で学んだことの応用ですが、問題の形式が上の 1 と 2 とは異なります。

→問題形式の特徴、問題の解き方については、147 ページを見てください。

4．情報検索

情報検索は、情報素材（700 字程度）の中から必要な情報を探し出す問題です。第 2 部で学んだことの応用ですが、問いが情報素材の前にあります。

→問題形式の特徴、問題の解き方については、161 ページを見てください。

1. 内容理解（中文）

☆ 例題28　次の文章を読んで、後の問いに対する答えとして最もよいものを一つ選びなさい。

ある新聞記事によると、この４月から新入社員として働きだした若者のうち、かなりの人数が「そろそろ今の会社を辞めよう」と考えているという。その中の一人の主張は次のようなものだ。

大学時代の専門を生かした仕事につくつもりで今の会社を選び、新しい技術の研究に関する仕事を希望していた。ところが、実際に与えられたのは、修理用の部品を管理する仕事だった。必要な部品の種類や量を確認し、パソコンで資料を作り、工場に連絡するといったことをしている。同じことをくり返すだけでつまらない。もっと自分が生かせる他の会社に移りたい。

①彼が「やりたいのにやらせてもらえない」という仕事は、本当に彼が満足できる仕事なのだろうか。仕事がおもしろいかどうかは、実際にやってみなければわからない。実際にその仕事についたとしても、「②こんなはずじゃなかった」と思う可能性もある。

会社という組織では、希望するかしないかに関わらずさまざまな仕事が経験でき、多くの仕事と出会える。仕事にどう取り組むか次第で、働く前に想像した「やりたいこと」以上におもしろい仕事が見つけられるかもしれない。

仕事とは、経験を重ねる中で「こういう仕事ではこういう工夫ができる」と自らが発見していくものだ。仕事のおもしろさは、積み重ねがあってこそわかるものだといえるだろう。

問１ ①彼とは、どのような人か。

1　仕事を辞めたばかりで、新しい仕事を探している若者
2　大学時代に、修理用の部品について研究していた若者
3　仕事の経験は短いが、仕事を辞めるつもりでいる若者
4　パソコンで資料を作ることが苦手で、苦労している若者

問２ ②こんなはずじゃなかったとはどういう意味か。

1　やりたかった仕事はおもしろいと思っていたのに、おもしろくない。
2　やりたい仕事をやらせてもらえると思っていたのに、やらせてもらえない。
3　やっている仕事が嫌いだと思っていたのに、好きになった。
4　やりたい仕事はできないと思っていたのに、その仕事につけた。

問3 筆者がこの文章で最も言いたいことは何か。

1　専門を生かした仕事につくには、大学時代に専門性を身につけたほうがいい。

2　会社組織に入る前に、自分を生かせるのはどんな仕事かを知るべきだ。

3　やりたい仕事より、やりたくない仕事のほうがおもしろいに違いない。

4　自分に合った仕事かどうかは、ある程度続けてやってみなければわからない。

キーワード：新入社員、若者、会社を辞める、主張、経験

→新入社員が会社を辞めることについて書かれた文章？

問1 に答える

「①彼」の言い換えを探す。

「①彼」＝２行目の「その中の一人」＝「４月から新入社員として働きだした若者」

１：辞めたばかりではない。

２：修理用の部品について研究していたとは書かれていない。

３：正解

４：パソコンで資料を作ることが苦手とは書かれていない。

問2 に答える

下線部「②こんなはずじゃなかった」の前後を見る。

「やりたいのにやらせてもらえない」仕事＝やりたい仕事

‖ 仕事がおもしろいかどうかは、実際にやってみなければわからない。

実際に その仕事 についたとしても、「②こんなはずじゃなかった」(＝予想と違った) と思う可能性もある。

逆接（「ても」）

(普通の予想では、「その仕事」についたらおもしろいはず)

１：正解

２：実際にやりたい仕事についたときに思うことなので、やらせてもらえないのではない。

３：仕事が好きになったとは書かれていない。

４：やりたい仕事についたことが予想と違ったのではない。

問3 に答える

段落ごとに内容をつかむ

第１～２段落：仕事を辞めるつもりでいる 若者の主張 ＝ 専門を生かせる仕事がしたい

第３～５段落：その若者に対する 筆者の意見

疑問提示文：①彼が「やりたいのにやらせてもらえない」という仕事は、
本当に彼が満足できる仕事なのだろうか。

答え：仕事がおもしろいかどうかは、実際にやってみなければわからない。
仕事とは、経験を重ねる中で…と自らが発見していくものだ。
仕事のおもしろさは、積み重ねがあってこそわかるものだ

全体をまとめる

ある若者は「仕事がおもしろくないから会社を辞める」と言っているが、仕事のおもしろさは経験を積み重ねてこそわかることだ。

1：大学時代に専門性を身につけたほうがいいとは書かれていない。

2：会社組織に入る前の話は書かれていない。

3：やりたくない仕事のほうがおもしろいとは書かれていない。

4：正解

練習53　次の文章を読んで、後の問いに対する答えとして最もよいものを一つ選びなさい。

以前、猫の雑誌で読者の人の投稿(注1)を読んではっとさせられた(注2)ことがある。子育てが一段落したという投稿者の女性は、日々猫に癒されている(注3)そうなのだが、猫がごはんを食べたりしただけで「たくさん食べて偉いね」などと褒めちぎっているのだという。そんな自分の行動から、「自分の子どもにも口うるさいことばかり言わずに、もっと優しく接して褒めてやればよかった」と①振り返っていたのだが、子どものいない私にもその言葉は心に染み入るものだった。

子どもに限らず、家族や友人や恋人に私たちはさまざまな期待をし、時に「本人のため」という理由から厳しい態度をとることがある。特に「親」という立場であれば、子どもを自立した大人にしなければ、というプレッシャー(注4)からどうしても厳しくなってしまうだろう。しかし、それは時に本人を必要以上に追いつめ、最低限の「自信」すら奪ってしまうこともある。(中略)

だからといって②毎日本当に食べて寝て遊んでばかりいられても困るといえば困るが、基本的には元気でいてくれたらそれでOKな気がする。

(雨宮処凛「子猫が教えてくれたこと」『ビッグイシュー日本版156』ビッグイシュー)

(注1) 投稿：新聞・雑誌などに読者が送った原稿　(注2) はっとする：急に何かに気づく
(注3) 癒す：病気・傷・苦しみなどを治す　(注4) プレッシャー：精神的な圧力

問1 ①振り返っていたのはだれか。

1　筆者
2　投稿者の女性
3　猫
4　投稿者の女性の子ども

問2 ②毎日本当に食べて寝て遊んでばかりいられても困るといえば困るとはどういうことか。

1　母親が全然子どもを叱らず放っておくと、子どもが困る。
2　母親が家事もせず、子どもの世話もしないと、ほかの人が困る。
3　子どもが遊んでばかりでは、大人になったときのことが心配で親は困る。
4　子どもが食べて寝て遊んでばかりいては体に悪いので、親は心配で困る。

問3 この文章で筆者が最も言いたいことは何か。

1　自分の将来のために相手に期待をすることは恥ずかしいから、やめたほうがいい。
2　投稿者の女性が子どもにも猫にも優しく接するという話は、心温まることである。
3　子どもを自立した大人にするために、甘やかさず厳しく接するのはりっぱなことである。
4　相手のためと思ってとった厳しい態度が、逆に相手を追いつめてしまう場合もある。

練習54 次の文章を読んで、後の問いに対する答えとして最もよいものを一つ選びなさい。

間接的にでも政治的な活動をしている若者が増えているという。彼らはどんな動機で政治活動を始めたのだろうか。たずねてみると、「ほかの人と関わりを持ちたいから」という答えがよく返ってくる。人との関わりを求めて政治活動をするのか、と一瞬驚いたが、考えてみれば驚くことではなさそうだ。地域共同体の力が強かった時代は、地域の人との関わりを強制される面があり、自分から人と関わりを持とうとすることはあまりなかった。しかし、①今は違う。

また、「趣味やボランティア活動の延長で、政治に出会った」という話も聞く。日常の仕事から離れてサークル活動やボランティア活動をする中で政治に出会い、自然な流れで②その活動に入っていったというケースだ。

以上は、仕事以外の生きがいを求めて政治に目を向けた例といえるだろう。

一方、「就職先として政治の場を選んだ」というケースもある。政治家の公的な秘書、その秘書が雇う人、事務所の職員など、その周囲にはかなりの職がある。政治家の任期が終わり、次の選挙に落ちれば職を失うことになるが、任期中は安定している。特に参議院の議員の任期は6年だから、その秘書も6年は仕事があるわけで、一般的なアルバイトなどと比べればはるかによい。こうした選択は、長期的な就職先を見つけることが困難な時代を反映しているといえるだろう。

問1 ①今は違うとはどういうことか。

1 以前は若者の答えを聞いて驚いたが、今ではその理由がわかっているので驚かない。
2 今は他人との関わりが強制されないので、自分から関わりを求めるようになった。
3 以前は地域の人と関わらなくてもよかったが、今は関わる必要がある。
4 今はほかの人と関わる必要がないので、政治的な活動がしやすくなった。

問2 ②その活動に入っていったとはどういうことか。

1 政治的な活動を始めた。
2 政治家として活動することに決めた。
3 政治家としてボランティア活動を始めた。
4 ボランティア活動が好きになっていった。

問3 この文章の内容として最も適切なものはどれか。

1 若者の政治的な活動は、単なる趣味の延長に過ぎないと考えることができる。
2 ボランティア活動に人との関わりを求めるなら、政治活動で自己実現したほうがいい。
3 政治に関わる職は安定しているから、若者はもっと政治活動に目を向けるべきだ。
4 若者が政治活動に入るのは、生きがいや就職先を求めているからである。

練習55 次の文章を読んで、後の問いに対する答えとして最もよいものを一つ選びなさい。

同じ温度なのに暖かく感じたり、すごく冷たく感じたりすることが、日常の生活の中にもよくあります。ただ、①あまり意識していないだけなのです。

たとえば、部屋の気温が20℃だとします。暑くも寒くもなく、ちょうどいい温度です。ところが、20℃の水風呂(みずぶろ)に入るとどうなるでしょう。相当冷たく感じますね。(中略)

熱の伝わりやすさを表す尺度(しゃくど)を「熱伝導率(ねつでんどうりつ)」といいますが、その伝導率が高いものに触るとパッと速く熱が移動します。そのスピードが速いとき、体感的(たいかんてき)に冷たく感じるのです。

②これに比べて空気というのはなかなか熱が伝わりにくいのです。われわれは空気のその性質を利用して、熱を逃がさないようにしています。たとえば寒いときは、服を何枚も重ね着(かさぎ)しますね。これは、重ね着をすることによって、空気の層(そう)を何層(なんそう)も作って、熱が移動しにくい状況をつくっているのです。住宅の壁(かべ)の中に入っている断熱材(だんねつざい)も、基本的(きほんてき)には空気をうまく閉じ込める(とこ)仕掛け(しか)になっているわけです。ですから座布団など、ふわっとした、空気を包んだものを触ると、温(あたた)かく感じますし、③20℃の空気の中にいればそれほど寒くも暖かくも感じない、ちょうどいい温度なのです。

(甲斐徹郎『自分のためのエコロジー』筑摩書房)

問1 ①あまり意識していないとあるが、何を意識していないのか。

1 部屋の温度が何度なのかということ
2 日常生活の中では温度がよく変化すること
3 同じ温度でも場合によって感じ方が違うこと
4 日常の生活では本当の温度より冷たく感じること

問2 ②これは何を指しているか。

1 熱　　2 水
3 熱伝導率(ねつでんどうりつ)　　4 熱が移動する速さ

問3 ③20℃の空気の中にいればそれほど寒くも暖かくも感じないのは、なぜか。

1 住宅の壁(かべ)に断熱材(だんねつざい)が入っているから。
2 重ね着(かさぎ)をして、空気の層(そう)を作っているから。
3 空気は熱伝導率(ねつでんどうりつ)が高く、熱が伝わりやすいから。
4 空気は熱伝導率が低く、熱を逃がしにくいから。

練習56 次の文章を読んで、後の問いに対する答えとして最もよいものを一つ選びなさい。

今までは、どちらかというと、どんな心持ちで勉強や仕事をしていったほうが幸せだろうかという視点で考えてきましたけれど、そうではなくて、社会の制度のあり方として、どんなものがよいだろうかという点を考えてみます。

ひとつの提案は、もう少し進学のプロセスを変えてはどうか、少し大胆にいうと高校からダイレクトに大学へ進学するのを原則禁止して、いったん社会に出て働くことにしてはどうか、ということを考えています。

よく言われていることですが、日本の大学は、大学入試のゴール地点になってしまっていて、そこで何を学ぶのか、そこでどんなことを身につけるのかという意識がかなり希薄です。いっぽうでは、大学を出てから働き始めた多くの人が、大学時代にもっと勉強をしておけばよかったと後悔したり残念がったりしている姿をよく見かけます。①これはとてももったいないことだと思います。

このようなことを言うと、ならば、大学でもっと勉強をさせるようにすればいいじゃないか、それは大学でちゃんと教えていない君たち教師の責任じゃないか、というお叱りを受けそうですし、たしかに②反省すべき点は多々あると思います。けれども、現状では大学生がなかなかやる気を持てないという面もあるように感じています。

それは、実社会で実際の仕事などを経験してみないと、その学問の重要性や必要性を実感できないという面があるからです。とくに経済学のような学問はそういう傾向が強いように思います。

（柳川範之『独学という道もある』筑摩書房）

問1 ①これはとてももったいないことtとあるが、何がもったいないのか。

1　勉強できる環境では勉強の必要性に気づけず、卒業後に気づくこと

2　苦労して大学に入っても、大学の勉強が合わない学生が多いこと

3　本当に勉強したがっている卒業生が、大学に入り直せないこと

4　在学中の学生が、後悔(こうかい)している卒業生の姿(すがた)を見ることができないこと

問2 ②反省すべき点は多々(たた)あるとあるが、反省するのはだれか。

1　大学生

2　大学の教師

3　叱(しか)っている人

4　大学を出てから働き始めた人

問3 筆者が大学進学について提案(ていあん)をしているのはなぜか。

1　大学進学者の数を少なくするため。

2　大学の授業をもっと深い内容にするため。

3　大学生がやる気を持てるようにするため。

4　大学に入ってから後悔(こうかい)しないようにするため。

2. 主張理解（長文）

☆ 例題29　次の文章を読んで、後の問いに対する答えとして最もよいものを一つ選びなさい。

先日、東京で世田谷区内のある郵便局へ行ったところ、ジュースを出してくれました。五〇歳前後と思われるその女性に、これはどういう意味なのかお聞きしたところ、客へのサービスとのことです。

ん！？　サービス！？　……私は一瞬ことばにつまったあと「もっと本質的なサービスがあるはずですがね」と言ったものの、彼女に責任のある問題ではないので、それ以上の意地悪質問はやめました。というのは、①こんな「本質的」事件があったからです。

この「ジュース」のときから三ヵ月ほど前になりますが、同じ郵便局へ行ったとき、たまたまガラス棚の中に「ストックブック」と書かれた札とともに切手入れ帳の見本があるのに気づきました。しかし鍵がかかっているので、手にして実物を調べることはできません。近くにいた職員の一人に、これを買いたいむねを告げると、奥から別の一冊をもってきてくれました。

なぜこれが欲しかったかというと、使う切手を保存するさい、種類別に整理してあると、そのときどきに必要な切手をさがしやすいし、汚れも防ぎやすいからです。以前ある弁護士事務所を訪ねたとき、そのような切手分類保存帳を見て「これは俺も買っておこう」と思っていたのでした。

で、さっそく買って帰り、雑然と袋にはいっている自宅の切手を種類別に分けて入れようとしたところ、どうも勝手が違うんですね。つまり出し入れが非常に面倒なのです。よくよく見ると、これは記念切手を保存するための、切手の趣味人たちが使うアルバムらしい。実用切手のためには全く不便です。「ストックブック」といえば記念切手用だけのことを意味するのか、私はよく知りませんけれど、ともかくこれでは使い道がありません。仕方がないので、郵便局へ返しに行きました。実用のためのものと交換してほしい。もしそれがないのであれば引きとってほしい。

ところが、窓口の人は②妙な態度なのですね。実用のためのものはないし、いったん売ったものはひきとれない、と。もちろん使わなかったので新品のままですし、なんの欠陥もありません。「そんなバカな……」と、私は少々声をあららげました。すると窓口の彼氏は奥から別の人を呼び、その人は私を局内の別室へつれていきました。郵便課長とのことです。そこで改めて、これはひきとれないと主張します。私も言いました。一般の商店ではこんなバカなことは考えられない。たとえば文具店でこの種のものを買った場合、目的が違えば交換してくれるし、なければ引きとってくれる。（中略）

課長は言いました――「いま会計のところへ行って聞いてきましたが、やっぱりダメだそうです」

会計がどう言おうと、そんなものはますます官僚主義の正体を示すだけのこと、何の弁解にもなりません。それによって私の抗議が変わるわけでもありません。

（本多勝一『新・貧困なる精神――携帯電話と立ち小便――』講談社）

問1 ①こんな「本質的(ほんしつてき)」事件の内容として最も適切なものはどれか。

1　欲しかった「ストックブック」が郵便局で見つからなかったこと
2　郵便局で買った「ストックブック」が返品(へんぴん)できなかったこと
3　郵便局で買わされた「ストックブック」の質が悪かったこと
4　郵便局にあった「ストックブック」の説明が間違っていたこと

問2 ②妙(みょう)な態度とは、どのような態度(たいど)か。

1　筆者の要求に対応(たいおう)できないという態度
2　筆者と二人だけでゆっくり話したいという態度
3　筆者がだれなのかわからなくて困ったという態度
4　筆者とは話したくないので、ほかの人に代わってほしいという態度

問3 この文章で筆者が最も言いたいことは何か。

1　郵便局は、ジュースを出すといった「本質的(ほんしつてき)でないサービス」をすぐにやめるべきだ。
2　郵便局は、一般の商店では常識の「本質的なサービス」をするべきだ。
3　郵便局は、客の欲しがる商品をいつでも出せるように準備しておくべきだ。
4　郵便局は、窓口の担当者を会計のわかる人にするべきだ。

キーワード：郵便局、サービス、「ストックブック」、切手、バカなこと

→筆者が体験した郵便局のサービスについて書かれた文章？

問1 に答える

指示語を含む文①こんな「本質的」事件を見る。

その文の前後を見て、指示語が指す内容を探す。

三ヵ月ほど前、同じ郵便局でストックブックを買った（第３段落）。

欲しかったものと違うので、郵便局に返しに行った（第５段落）。

結局、郵便局はストックブックをひきとろうとしなかった（第６～８段落）。

２：正解

問2 に答える

下線部の文を見る

「窓口の人は②妙な態度なのですね。」

その文の後を見る。

> ②妙な態度
>
> ＝実用のためのものはないし、いったん売ったものはひきとれない、と［言う］。

１：正解

２：窓口の人が筆者と二人で話そうとしたとは書かれていない。

３：だれなのかわからなくて困っていたとは書かれていない。

４：ほかの人に代わってほしいという態度であったとは書かれていない。

問3 に答える

段落ごとに内容をつかむ

第１～２段落：郵便局でジュースを出されたが、もっと本質的サービスがあるのではないかと思った。

第３～４段落：「ストックブック」を見て買おうと思った。

第５段落：　「ストックブック」を買って帰ったが、使い道がないので、交換するか引きとってほしいと伝えた。

第６段落：　窓口の人が拒否し、さらに郵便課長も拒否した。
筆者は言った。一般の商店ではこんなバカなことは考えられない。目的が違えば交換してくれるし、なければ引きとってくれる。←抗議

第７段落：　郵便課長は、会計に聞いたが、「これ（＝筆者が買ったストックブック）はひきとれない」

第８段落：　（郵便局の）会計がどう言おうと、官僚主義の正体を示すだけのことだ。「私の抗議（＝相手の発言、行動などに対して、反対の意見や要求を強く主張すること）が変わるわけでもありません」

第６段落の抗議が筆者の主張と考えられる。

全体をまとめる

郵便局は、一般の商店で普通に行われているサービス（間違って買ってしまった新品の商品を交換するか引きとるサービス）をしていない。これはおかしい。

１：「本質的でないサービス」をすぐにやめるべきだとは書かれていない。

２：正解

３：商品を準備しておくべきだとは書かれていない 。

４：窓口担当者を会計のわかる人に変えるべきだとは書かれていない。

練習57　次の文章を読んで、後の問いに対する答えとして最もよいものを一つ選びなさい。

物を買う、という行為は、この国ではなぜかあまり褒められない行為のようにうけとられています。〈浪費癖〉だとか〈衝動買い〉だとか〈無駄遣い〉だとか、そういう言葉に表現されるように、必要以外のものを買う人間はあまりかんばしい評判を得られません。しかし、以前から思っていることなのですが、物を買う、ということは、決してただお金を浪費し虚栄心を満足させるだけのことではないような気がするのです。

何かいやなことがあって、むしゃくしゃした気分を抑えるためにショッピングをする人がいます。必要のないものにお金を遣うなんて愚かしい行為だと理性的な人は言うでしょうが、それでも人間の精神のバランスをとるために費用をかけたと思えば、①それはそれでいいんじゃないでしょうか。

人間は大人になって死ぬまでの間、お金のことで苦労しながら生きてゆきます。生まれながらにして無限の富を与えられた人は別ですが、ほとんどの人はお金の苦労というものでエネルギーをすり減らすことになります。そんな中で一瞬ふっと、お金のほうが主役で、自分はそれによってふり回されているつまらない存在のように感じられることがあります。

お金のことで苦労し、血と汗を流している人ほど、どういうものか無駄遣いすることがあるのです。一見、逆のようですが、②それはお金に対する人間性のささやかな反抗とでもいえるんじゃないでしょうか。お金を浪費する、やけっぱちになって紙屑のように遣う、そのことでもって、こちらのほうが主人なんだぞ、お金に使われてるんじゃないぞ、と心の中でうっぷんを晴らしているのかもしれません。お金に復讐することで人間性を回復しようとしているのです。

（五木寛之『生きるヒント—自分の人生を愛するための12章—』角川書店）

問1 ①<u>それはそれでいいんじゃないでしょうか</u>とあるが、どういうことか。

1　ショッピングで必要なものを買ってもいい。

2　何かいやなことがあってもいい。

3　むしゃくしゃした気分を抑(おさ)えなくてもいい。

4　必要のないものにお金を遣(つか)ってもいい。

問2 ②<u>それ</u>は何を指しているか。

1　お金のことで苦労している人が、無駄遣(むだづか)いをすること

2　お金のことで苦労している人が、無駄遣いをしないこと

3　お金で苦労しないお金持ちが、無駄遣いをすること

4　お金で苦労しないお金持ちが、無駄遣いをしないこと

問3 この文章で筆者が最も言いたいことは何か。

1　いやなことがあったら、買い物をして精神のバランスをとったほうがいい。

2　お金にふり回される人生にならないよう、お金の遣(つか)いすぎに注意すべきだ。

3　お金を浪費(ろうひ)するのは、お金より自分のほうが主役だと言いたい気持ちがあるからだ。

4　お金を遣えば人間性が回復できるのだから、買い物にもっとエネルギーを注ぎたい。

練習58　次の文章を読んで、後の問いに対する答えとして最も よいものを一つ選びなさい。

小学二年生のとき、隣に住んでいたダッグという友だちが、親からバースデープレゼントに「ウォーキートーキー」をもらった。つまり「携帯用無線電話器」だ。警察官や兵隊が使用するものと形はそっくり。ただし子供用に安っぽくできていて、通じる範囲はせいぜい百五十メーター。①それでも近所で遊ぶには十分だった。

ダッグが裏庭の塀の裏へ回り、ぼくは家の前の道を渡って木立に駆け込む。そしてだれにも見られなかったことを確認した上で、ボタンを押して交信開始――「ポプラの木まできた。そっちはどこ？　どうぞ」。

方々走りながら見えない相手と会話できるというのは、当時のぼくらにとって衝撃的だった。けれど、互いの現在地を確認したあと何を話すのか、中身の面では物足りなさ(注1)をいつも感じた。からかい合ったり、小学生なりの世間話をしたり、戦争ごっこにもあの無線をずいぶん使ったが、結局、互いの顔を見ながらしゃべったほうが楽しく、「コリンズおばさんの庭のスズカケの木で落ち合おう(注2)。どうぞ」と合流地点を決めて、スイッチをオフに。

今、東京の街を歩いていると、携帯電話の会話の断片があちこちから聞こえてくる。仕事の段取りや、部下を叱る上司、恋人をふっているような話などなど。だが、むかしダッグと二人で散々(注3)やった現在地確認の類いが、圧倒的に多い。車内で、②「いま電車」という言葉を何度耳にしたことか。

こっちは聞くつもりなんか毛頭ない(注4)のに、盗み聞きを強いられるというのが、気に障る(注5)主原因だろう。おまけに内容も、ほとんどが退屈なしろもので、少々興味をそそられるはずの別れ話さえ、ケータイで済まされてしまっていると、かなり殺風景(注6)だ。

ぼくはケータイを持たない。一種の食わず嫌いだが、在りし日のウォーキートーキーでだいたい、交信の限界が分かったのか。それに外を歩いているとき、電話に出たいとは思わない。歩きながら考えたいと思う。しかも、他人のケータイの会話に妨害されずに。

（アーサー・ビナード『日々の非常口』新潮社）

(注1) 物足りなさ：何か足りないようで、不満に思うこと

(注2) 落ち合う：ある場所で一緒になる

(注3) 散々：飽きてしまうぐらい何度も。よく

(注4) 毛頭ない：全くない

(注5) 気に障る：感情を害する。嫌な気持ちになる

(注6) 殺風景：あるべき雰囲気や感情が感じられなくて、興味が持てない

問1 ①それでもとはどういうことか。

1　ウォーキートーキーが自分のものでなくても

2　ウォーキートーキーの形が良くなくても

3　ウォーキートーキーで会話しなくても

4　ウォーキートーキーの機能が良くなくても

問2 ②「いま電車」という言葉を何度耳にしたことかとはどういうことか。

1　他人が「いま電車（の中です）」と携帯（けいたい）電話に向かって言うのを、筆者は何度も聞いた。

2　筆者に携帯電話がかかってきて、「いま電車（の中ですか）」と何度も聞かれた。

3　筆者が携帯電話で相手に「いま電車（の中ですか）」と何度も聞いた。

4　「いま電車（の中です）」と言うダッグの声を、筆者は携帯電話で何度も聞いた。

問3 筆者がこの文章で最も言いたいことは何か。

1　子供の頃（ころ）ウォーキートーキーで遊んだことは、私にとっていい思い出だ。

2　今の携帯（けいたい）電話と子供の頃のウォーキートーキーは、使われ方が全く違う。

3　現代でも、ウォーキートーキーさえあれば、携帯電話がなくても構わない。

4　ウォーキートーキーで遊んだ経験から言っても、携帯電話は持つ気になれない。

練習59　次の文章を読んで、後の問いに対する答えとして最も良いものを一つ選びなさい。

何ごとをするにも準備が必要である。高い山の登山などというと、山頂に立つのは、ほとんど一瞬(いっしゅん)といっていいほどだが、それに対する準備には、どのくらいの労力と期間がかかっているか、素人(しろうと)には想像もつかないほどである。(中略)

このように、すべて「準備」が必要であることをだれでも知っているのだが、実に大切なことであるのに、あんがい「準備」なしで臨(のぞ)んで(注1)しまうことに「対話」ということがある、と私は思っている。

その対話の成り行きが、その人の一生を左右する、とまではいかないにしても、一生、問題を引きずってゆくことになるのに、準備なしで覚悟(かくご)もないままに臨んでしまうために、失敗をしてしまうのである。

どうも、中学生の息子の様子がおかしい。落ち着きがないし、家族を避(さ)けるようにばかりしている。これはどうしても話し合いが必要だ。このようなとき、対話に臨むに際して、親はどれだけの準備をしているだろうか。このときの話し合いの結果には、その子の、あるいはその家族の将来がかかっているのだ。

ではどのような準備が必要か。まず体調を整(ととの)えることである。ちゃんと食事をし睡眠(すいみん)をとり、たとえ話が徹夜(てつや)になろうと大丈夫(だいじょうぶ)という状態(じょうたい)でなければならない。次に①「心の準備」である。実は、これができていない人が多いのである。

「心の準備」で最大のことは、徹底(てってい)して相手の話を聴(き)こうと覚悟(かくご)することである。多くの親は、子どもと「対話」すると言いながら、まったく相互的な話し合いにならず、一方的に言い立てる(注2)場合が多いのだ。まず相手の言うことに耳を傾けて聴く。これはよほどの覚悟がないとできないし、何でも聴こうという心の広がりがないと駄目(だめ)である。

親でも教師でも、「何でも自由に話しなさい」と言って話を聴こうとしたが、子どもが何も言ってくれない、という人がよくあるが、これはまさに「心の準備」不足である。

スポーツマンも、体調を整えて準備をしてゆくが、勝負のときは、大変な集中力とともに、リラックスしていないといけない。いわゆる「肩に力が入る」状態はよくない。すべてに緊張(きんちょう)しているのは駄目である。

「何でも自由に」などと言いながら、大人のほうが自由でなくては話にならない。どんなことを話しても大丈夫というリラックスした心のあり方を大人が持っていないと、口で言うだけでは意味がない。②相手の体を縛(しば)っておいて、「自由に動きなさい」と言うのと同じような「対話」をしたがる大人が多いのだ。

心の準備をしての対話はエネルギーも時間もかかって、大変だ。しかし、一生の間に何度かは、

家族の間にこのようなことが必要だ、と私は思っている。

(河合隼雄『ココロの止まり木』朝日新聞社)

(注1)臨(のぞ)む:ある場面・事態(じたい)などに向かう

(注2)言い立てる:強くあれこれ言う

問1 ①「心の準備」をしないで対話をするとどんな結果になると筆者は言っているか。

1　子どもに落ち着きがなくなり、家族を避(さ)けて、意見を言わなくなる。

2　親が子どもの話を聴(き)くことができず、話が一方的になる。

3　話し合いが長引き、お互いに疲れて問題が解決しなくなる。

4　親が子どもの将来を一方的に決めてしまいがちになる。

問2 ②相手の体を縛(しば)っておいて、「自由に動きなさい」と言うのと同じような「対話」とあるが、どういうことか。

1　「何でも自由に」と言いながら、相手を緊張(きんちょう)させるような対話

2　「自由に話しなさい」と言って、親が子どもに何でも話させるような対話

3　「何でも自由に」と言いながら、相手が自由に言ったことには反対する対話

4　「自由に話しなさい」と言って、親が子どもを安心させるような対話

問3 筆者がこの文章で最も言いたいことは何か。

1　親子が重要な対話をするときには、親が自分の気持ちを十分に話せるような準備をしなければならない。

2　親子は一生の間に一度か二度は、子どもや家族の将来について重要な対話をするべきである。

3　親子が大切な対話をするときには、それぞれが相手の話を徹底的(てっていてき)に聴(き)こうとする心の準備をするべきである。

4　親子が大切な対話をするとき、親は体調を整(ととの)え、肩の力を抜き、子どもの話をよく聴く準備をしなければならない。

練習60 次の文章を読んで、後の問いに対する答えとして最も良いものを一つ選びなさい。

関東のおもだった(注1)デパートの「大食堂」は、とっくに姿を消した。ある年齢以下の人にはなんのことかもわからないだろう。子どもと高齢者のいる家族づれが、和洋中(注2)のなかから好きなものをえらんで、ひとつのテーブルで一度に食事ができた場所のことだ。ファミリーレストランとのちがいは、サービスの質だろう(後者のほうがよい)。

大食堂では、注文するものや、その日の混雑具合によって、料理がはこばれてくる時間にばらつきがあり、ひと家族の注文したものが一度に出てくることはまずない。①それもサービスのうちにふくまれる今日では、まともな飲食店であれば連れの注文したものがきわだって遅いということはまれだが、昭和も四十年代には、あたりはずれの差が大きく、ひとりが食べおわっても、ほかの人の料理がまだこない、ということがありえた。

大食堂のシステムは、見本をみて食べたいものを選んだら食券を買い、自分で席をさがしてテーブルにつく。ウエイトレスかウエイターを呼びとめ、半券を手渡せば注文したことになる。

やがて料理をはこんできた人が、のこった半券を回収してゆく。これで完了だが、混雑時には注文したものとちがう料理がはこばれてきたり、あきらかにあとから席についたとなりのテーブルへ、自分が注文したのとおなじ料理が先にはこばれたり、などというサービスの基本にかかわる、混乱がたびたび生じた。

席の案内係というのも機能しておらず、もうじき席を立ちそうな人の後ろで待ちかまえる(注3)、というふうだった(行列のマナーが今ほど浸透していない)。

大食堂が消えた要因として、「食のニーズ(注4)の多様化」などと云われもしたが、わたしはそれよりも、消費者が質のよいサービスをもとめるようになったからだと思う。大食堂という乱雑な形式では、それにこたえることは不可能だったのだ。(中略)

こんな具合の日曜日の大食堂で、だれが楽しめるものか。まともなサービスが追いつかず、消えるべくして消えた大食堂というシステムを、郷愁(注5)だけでなつかしむ人がいるようだが、わたしはごめんこうむる(注6)。

あんなざわざわがやがやしたところで(しかもお安くない)食べるくらいなら、セルフサービスのカフェのほうがよい、というのが現代だと思う。

(長野まゆみ「あのころのデパート　よそゆきと、おでかけ」『yom yom』2010年10月号　新潮社)

(注1)おもだった：主な

(注2)和洋中：和食、洋食、中華料理

(注3)待ちかまえる：用意して待っている

(注4)ニーズ：必要。要求

(注5) 郷愁：過去のことについて「昔は良かった」となつかしく思う気持ち

(注6) ごめんこうむる：嫌だと断る

問1 ①それとは、何を指しているか。

1　ひと家族の注文した料理が、同時に出てくること。

2　ひと家族の注文した料理が、同時ではなく別々に出てくること。

3　どんなに混雑していても、料理が早くはこばれてくること。

4　料理がはこばれてくるのが、早かったり遅かったりすること。

問2 筆者の考える大食堂が消えた理由は何か。

1　料理の出し方やはこんでくる順番、席への案内などのサービスに問題があったから。

2　消費者が、子どもでも高齢者でも好きなものを食べられるようなサービスを望んだから。

3　消費者が、騒がしい場所でセルフサービスで食べるようなシステムを嫌がったから。

4　消費者は、どのような料理か目でみて確認してから注文したかったから。

問3 この文章で筆者が最も言いたいことは何か。

1　もう一度、家族とともに、なつかしいデパートの大食堂で食事をしてみたい。

2　大食堂が消えたのはサービスの質が悪かったためで、なつかしむ気持ちにはなれない。

3　現代人は、騒がしい場所より静かな場所でゆっくり食べたいと考えている。

4　ファミリーレストランやセルフサービスのカフェが生まれたのは、大食堂のおかげだ。

練習61　次の文章を読んで、後の問いに対する答えとして最もよいものを一つ選びなさい。

そのホテルの前でタクシーを降り、入口に一歩足を踏み入れたとたん、ハッとした。

BGM(注1)がいつになくはっきりと耳に飛び込んで来た。クラシック音楽、しかもバイオリンの音であり、やけに聞きなれたその音色。かけられているBGMが「私のCDの音だ」と気がつくのに、さほど時間はかからなかった。

しかも、そのCDはかなり昔に録音したものであり、私は、稚拙な(注2)過去の自分を突き付けられたような敗北感に襲われた(注3)。

そもそも演奏家というのは、録音した自分の演奏は常に不満なものである。また、不満でなければ進歩はない。

ましてや昔の録音となれば、前科(注4)を指摘された犯罪者の気分だ。きっと。

はじめは自分の演奏に似ているなあと思いつつ、聴きすすむにつれ、その思いは確信(注5)へと変わった。

気がつくと、地方のホテルの気のいい従業員が皆、満面の笑みを浮かべて(注6)私の顔を見ている。「そうですよ。これはあなたのCDですよ」と言わんばかりの笑顔が、私には重たい。サービスのつもりなのだろうが、①リラックス出来ないことこの上ない。

クラシック音楽が流れているだけでも、私たち音楽家は瞬時に聴覚が緊張するのだ。

それが同業種の楽器だったら尚更、思考回路までが仕事モードに切り替わり、それまで楽しく会話していた人との話も耳に入らなくなる。耳はBGMを傾聴し(注7)、感性は研ぎ澄まされ、それが例えばレストランでワインを飲んでほろ酔い気分(注8)になってるときであれば、酔いは一瞬で醒める。(中略)

部屋に入っても、全館であの音が鳴っていると思うと落ち着かない。私が売店やフロントに用事があって出ていくたびに、待ち構えていた「満面の笑み」が私を追い込む。

布団を被って寝てしまおうとしても、どこからか「自分の音」が聞こえてくるような気がして、もうノイローゼ状態である。

翌日、すっかり疲れ果てた私は、予定のフライトを早め、朝一番の便で帰ることにした。

チェックアウトの時も、なんだか一層音量が上がったように感じられるBGMと、従業員のこれ以上ない満面の笑顔とが私を見送ってくれたことは言うまでもない。

いやはや、過剰なサービスは客を苦しめる。良いホテルは適度な距離感を心得ている。その距離感こそが良い人間関係を作り出す。それはホテルだけの話ではないとつくづく感じた。

（千住真理子「「自分の音」に追われて」『文藝春秋』平成22年11月号　文藝春秋）

(注1) BGM：ホテルや喫茶店などで流す音楽

(注2) 稚拙だ：経験が足りず、下手だ

(注3) 敗北感に襲われる：「負けた。だめだ」という気持ちになる

(注4) 前科：以前に犯した犯罪

(注5) 確信：「絶対にそうだ」と信じて疑わない気持ち

(注6) 満面の笑みを浮かべる：顔全体で、にっこりと笑うこと

(注7) 傾聴する：熱心に聞く

(注8) ほろ酔い気分：少しお酒に酔って気持ちがいいこと

問1 筆者の職業は何か。

1 バイオリンの演奏家

2 ホテルのBGMの演奏者

3 音楽を録音する技術者

4 クラシック音楽演奏の批評家

問2 ①リラックス出来ないのは、なぜか。

1 ホテルの従業員に笑われているから。

2 聴きたくないCDの音を聴かされてしまうから。

3 ホテルの人がみんな「あなたのCDですよ」と言うから。

4 私も笑っていなくてはいけないという気持ちになるから。

問3 この文章で筆者が最も言いたいことは何か。

1 遠すぎず近すぎず、ちょうどいい距離の場所に泊まったほうがリラックスできる。

2 従業員が満面の笑みを浮かべ、いい音楽が聞こえてくるのが良いホテルである。

3 過去の自分の演奏を使ったホテルのサービスによって、自分の進歩に気づいた。

4 相手を疲れさせない適度な距離感があってこそ、良い人間関係が生まれる。

3. 統合理解

◆統合理解は、あるテーマについて書かれた二つ以上の文章を読んで、それらを比較・統合しながら理解できるかを問う問題である。第１部の「評論・解説・エッセイなど」、第２部の「広告・お知らせ・説明書きなど」のどちらのタイプの文章も出題される可能性がある。

統合理解の問題は、問題文の中に大事な情報がある。必ずチェックしよう。

例

問題12　次の文章は、相談者Ａからの相談と、それに対するＢとＣからの回答である。三つの文章を読んで、後の問いに対する答えとして…。　←問題文

相談者：Ａ
　私の彼のことで相談したいことがあります。…　←本文Ａ

回答者：Ｂ
　あなたの悩みは…　←本文Ｂ

回答者：Ｃ
　一人で考えていると…　←本文Ｃ

26　相談者Ａの相談に対するＢ、Ｃの回答について、正しいものはどれか。　←問い

これは、相談者Ａの文章から相談内容をつかみ、回答者Ｂ、Ｃの考えを読み取る問題である。

◆問いに答えるために、次の手順で考えよう

・問題文から、複数の本文(本文Ａ、本文Ｂ、…)がそれぞれどのような文章かを知る。
・問いを読み、読み取るべきことを知る。
・本文を読む。

＊必要な情報がどの本文にあるか
＊複数の本文の関係はどうなっているか
　共通している点は何か
　違いはどこにあるか　　などに注目する。

☆ 例題30　次のAとBは、同じコンサートについて書かれた文章である。AとBの両方を読んで、後の問いに対する答えとして最もよいものを一つ選びなさい。

A

このコンサートはとてもありがたいです。小さい子供と一緒に行ってもいいコンサートは、なかなかありません。子供が小さいうちはコンサートに行くのは無理だと、今まであきらめていました。今回、久しぶりに生の音楽が聞けて、とても幸せな時間が過ごせました。親だけでなく子供にとっても貴重な機会でした。無料なのもありがたいです。是非これからも続けてくださいますように。演奏の途中で子供が泣いて、隣りの席の人ににらまれてしまいましたが、赤ちゃんが泣くのはしかたがありません。泣き声が気になる方は、有料のコンサートへ行けばいいのではないでしょうか。周囲の人々が子供のことをもっと理解してくだされればと思います。

B

このような平日昼間のコンサートは非常にうれしい。ただ、そのやりかたを考え直してはどうだろう。せっかく一流の演奏者が演奏しているのに、会場が子供の声でうるさくては、音楽に集中できない。たとえ無料のコンサートであっても、会場の客はもちろん、演奏者に対しても失礼だ。「子供連れ可」というのは、子供が泣いても騒いでもいいということなのか。それなら「子供とその親に限る」コンサートにするべきだ。そうではなく今の形を続けるなら、騒がしくならない対策が必要である。例えば、子供連れの人々の席を出入り口の近くに作り、子供が騒いだときなどに会場を出やすくしてはどうだろう。演奏する人も聞いている人も音楽に集中できる環境を作っていただきたい。

問1 このコンサートは、どのようなコンサートだったか。

1　小さい子供に音楽教育をするコンサート

2　小さい子供が生の音楽を演奏するコンサート

3　小さい子供を連れて入場できるコンサート

4　小さい子供とその親しか入場できないコンサート

問2 コンサートに対するAとBの意見について、正しいものはどれか。

1　AもBも、コンサートを今の方法で続けてほしいと言っている。

2　AもBも、コンサートの方法を変えればもっと良くなると言っている。

3　Aは今の方法で続けてほしいと言い、Bは方法を変えてほしいと言っている。

4　Bは今の方法で続けてほしいと言い、Aは方法を変えてほしいと言っている。

どのような文章か

AとBは同じコンサートについて書かれた文章である。

問1 に答える

ABの情報を統合する問題（AとBの情報を合わせる）

ABから、このコンサートの情報を読み取る。

A：「小さい子供と一緒に行ってもいい」「無料」
B：「平日昼間」「一流の演奏者が演奏」「子供連れ可」

1：音楽教育をするとは書かれていない。

2：子供が演奏するとは書かれていない。

3：正解

4：子供とその親に限るというのはBの提案で、このコンサートのことではない。

問2 に答える

ABの情報を比較する問題（AとBの筆者の考えを読み取る）

コンサートに対する意見を探す。

A：「…ありがたいです」「幸せな時間が過ごせました」「貴重な機会でした」←プラス評価
B：「やりかたを考え直してはどうだろう」「会場が子供の声でうるさくては…できない」「…対策が必要である」「…てはどうだろう」←批判と提案

1：Bはコンサートを批判している。

2：Aは今のコンサートがいいと言っている。

3：正解

4：AとBが反対になっている。

☆ 例題31　次のAとBは、第一営業部坂田さんが第一営業部全員に宛てて出したメールである。AとBの両方を読んで、後の問いに対する答えとして最もよいものを一つ選びなさい。

A

件名：第一営業部定例会議について

第一営業部各位
第一営業部定例会議について
以下のように第一営業部定例会議を行いますので、ご出席くださいますようお願いいたします。資料配布の必要がある方は、6月1日までに、坂田まで原稿をお送りください。当日お持ちになる場合は30部コピーしてお持ちください。やむを得ず欠席される方は、部長に許可を得た後、6月6日までにご連絡ください。
尚、開催場所は9階、第3会議室となっておりますので、お間違いのないようによろしくお願いいたします。
日時　平成24年6月8日(金)10:00～11:30
場所　9階　第3会議室
第一営業部　坂田歩(asakata@eigyo_1.xxx.co.jp)

B

件名：第一営業部定例会議について【変更】

第一営業部各位
第一営業部定例会議について【変更】
昨日、第一営業部定例会議についてお知らせしましたが、ICプロジェクトについての報告会も兼ねて、第二営業部と合同で行うことになりました。
つきましては、時間と場所が変更になりましたので、ご連絡いたします。
配布資料の原稿送付、及び欠席連絡の期限については変更ありません。当日配布資料をお持ちになる方は50部準備してください。
よろしくお願いいたします。
第一営業部・第二営業部合同会議
日時　平成24年6月8日(金)15:00～16:30
場所　10階　第1会議室
第一営業部　坂田歩(asakata@eigyo_1.xxx.co.jp)

問1　6月8日に行われる会議は次のうちどれか。

1　10時から第3会議室で行われる第一営業部の定例会議
2　15時から第1会議室で行われるICプロジェクトの報告会
3　10時から第3会議室で行われる第一営業部・第二営業部合同会議
4　15時から第1会議室で行われる第一営業部・第二営業部合同会議

問2 配布資料の原稿を坂田さんに送る期限はいつか。

1　6月1日　　　2　6月6日

3　6月7日　　　4　6月8日

どのような文章か

AとBは会議についての社内メール

問1 に答える

ABを比較する問題（AとBの情報の違いを読み取る）

件名に注目する。

A「第一営業部定例会議について」＝会議についてのお知らせ

B「第一営業部定例会議について【変更】」＝会議変更のお知らせ

会議がどのように変更されたかを探す。

> A：「第一営業部定例会議」
> 「平成24年6月8日（金）10:00～11:30」「9階　第3会議室」
> B：「第一営業部・第二営業部合同会議」
> 「平成24年6月8日（金）15:00～16:30」「10階　第1会議室」

1：第一営業部の定例会議は合同会議となり、時間と場所が変更された。

2：ICプロジェクトの報告会だけではない。

3：10時から、第3会議室で行われるのではない。

4：正解

問2 に答える

ABを比較する問題（AとBの情報の違いを読み取る）

配布資料の原稿提出期限がどのように変更されたかを探す。

> A：「資料配布の必要がある方は、6月1日までに、坂田まで原稿をお送りください。」
> B：「配布資料の原稿送付、及び欠席連絡の期限については変更ありません。」

1：正解

練習62　次のAとBは、ともに朝の読書(朝読)について書かれた文章である。AとBの両方を読んで、後の問いに対する答えとして最もよいものを一つ選びなさい。

A

27日から秋の読書週間が始まったが、朝の読書(朝読)を学校の活動に取り入れている小・中・高校が全国で2万6732校にのぼり、全体の72%を占めていることが、朝の読書推進協議会(大塚笑子理事長)の調査で分かった。朝に本を読むと落ち着いた気持ちで一日のスタートが切れるなど、効果を実感する声も広がっているという。

朝読は「毎日やる」「みんなでやる」「好きな本でよい」「ただ読むだけ」が4原則。1988年に千葉県の2人の教師が始めたのがきっかけだった。同協議会は本の取次会社トーハンの協力で97年から実施率などを調べており、10月25日現在で小学校と中学校はそれぞれ76%、高校は42%で朝読をしていた。

(朝日新聞2010年10月28日)

B

本校では、2002年から朝読を始めました。毎朝授業の前に、生徒は、床に座るなどいろいろな姿勢で読書をしていますが、どんな姿勢でも静かに好きな本が読めれば、それでいいと考えています。

「基礎学力となる"読む力"をつけよう」という目標で始めた活動ですが、始めてみると、教室が落ち着いたことに驚きました。遅刻も少なくなり、毎朝いい雰囲気で一日を始められるようになりました。

今では生徒の中から「図書室の本をもっと増やそう」という声も上がっています。一番の効果は、学校全体の雰囲気が良くなったことだと言えるかもしれません。

問1「朝読（あさどく）」についての説明で、最も適切なものはどれか。

1　授業（じゅぎょう）が始まる前の時間に本を読むという活動で、二人の教師が始めた。

2　「基礎（きそ）学力となる“読む力”をつけよう」という活動で、2002年に始まった。

3　秋の読書週間に毎年行われる活動で、年々取り入れる学校が増えている。

4　毎朝本を読むという活動で、いろいろな姿勢（しせい）で読むことをすすめている。

問2「朝読（あさどく）」について、AとBにはどのような内容が書かれているか。

1　AもBも、朝読に関する調査結果を報告している。

2　AもBも、朝読の効果を紹介して感想を述べている。

3　Aは朝読に関する調査結果を報告し、Bは朝読の効果と感想を述べている。

4　Aは朝読の効果と感想を述べ、Bは朝読に関する調査結果を報告している。

練習63 次のAとBは、それぞれ「ほめる」ことをテーマにした本の一部である。AとBの両方を読んで、後の問いに対する答えとして最もよいものを一つ選びなさい。

A

「ホメ言葉って、本当に効果的なのかな？」

と懐疑的な読者がいらっしゃるかもしれません。（中略）

たしかに人によっては、せっかくホメてあげても、「いやぁ、ホメすぎですよ」「そんなことないですよ」「うぬぼれちゃいますから、もう勘弁してくださいよ」と軽く流してしまう人がいないわけではありません。

このように流されてしまうと、私たちは、「あれっ、ホメないほうがよかったのかな？」と心配になってしまいますが、そんなことはないのです。相手は、もう間違いなく喜んでおりますから、やめることなく、これからもどんどんホメてあげてください。

ホメ言葉というのは、ジワジワと効いてくる麻酔のような性質を持っていて、「私は、ほかの人のお世辞などに影響されないぞ」という人でも、自分でも気づかないうちに影響を受けてしまうもの。**ホメ言葉は、まさに無意識的に働いて、相手の行動を変えさせてしまうほどの力を持っている**のです。

（内藤誼人『すごい！ホメ方　職場で、家庭で、恋愛で…相手を思うままに操る悪魔の心理術』廣済堂あかつき）

B

古代ローマの英雄カエサルは「人は見たいと欲するものしか見ようとしない」と言ったというが、通常、人は自分が興味関心のあることについてしか目を向けようとしない。けれども**「ほめる」という意識を持って人を観察しているうちに視野が広がっていき、これまで気がついていなかったその人の魅力や長所が見える**ようになってくる。ほかの人は見えていないその人の魅力に、自分だけが気づくといったことも可能になるのだ。

ほめることが上手な人は、それだけ人や世界の美しいところ、素敵なところを見つけ出すのがうまいということだ。つまり自分を「ほめる体質」に変えることは、人を幸せにするだけではなく、自分自身の人生を豊かで彩りあるものにすることにもつながるのだ。

（伊東明『ほめる技術、しかる作法』PHP 研究所）

問1 AとBは「ほめること」についてどのように考えているか。

1 AもBも、ほめることは良いことだと考え、ほめることをすすめている。
2 Aは、ほめることを無条件にすすめているのに対し、Bは、ほめることで相手を変えなければならないと述べている。
3 Aは、ほめることで相手を変えなければならないと述べているのに対し、Bはほめることを無条件にすすめている。
4 AもBも、ほめることは良いことだが、ほめることで相手を変えなければならないと述べている。

問2 AとBは「ほめること」について、どのようなことを主張しているか。

1 Aは「ほめる人」に及(およ)ぼす効果について、Bは「ほめられる人」に及ぼす効果について述べている。
2 Aは「ほめられる人」に及ぼす効果について、Bは「ほめる人」に及ぼす効果について述べている。
3 AもBも「ほめる人」に及ぼす効果について述べている。
4 AもBも「ほめられる人」に及ぼす効果について述べている。

練習64　次の文章はマリアさんが友人の山田さんから受け取ったメールである。3通のメールを読んで、後の問いに対する答えとして、最もよいものを一つ選びなさい。

A

件名：山田です

マリアさん
お久しぶりです。元気ですか。
新しい会社に入って３か月ですね。仕事にはもう慣れましたか。
僕もこの４月から、新しい部署に配属されました。前の仕事はデスクワークばかりで、一時は辞めようかと思ったほどでしたが、今はお客さんと話す機会も多く、とてもやりがいがあります。お客さんとのやり取りは緊張しますが、こちらの仕事のほうが僕には合っているような気がします。

さて、来週なのですが、そちらに１週間出張することになりました。
木曜日か金曜日の夜、時間が取れませんか。どちらでも構いません。
もしよければ、食事でもどうですか。久しぶりにいろいろ話しましょう。
では、都合を知らせてください。

山田

B

件名：Re: Re:山田です

マリアさん
早速のお返事ありがとうございます。
では、木曜日にしましょう。
以前マリアさんと一緒に行ったレストラン「アローロ」でいいですか。おいしかったので、また是非行きたいと思っていました。
17時45分ごろ、レストランで会いましょう。予約しておきます。

山田

C

件名：Re: Re: Re: Re:山田です
マリアさん レストランに電話をしましたが、予約がいっぱいで取れませんでした。最近の東京のことはよく知らないので、どこかいいレストランを予約してもらってもいいですか。 よろしくお願いします。 山田

問1 山田さんの最近の様子は次のうちどれか。

1　新しい会社に移った。

2　今までと同じ仕事をしている。

3　同じ会社の新しい部署(ぶしょ)に移った。

4　新しい部署に移ったが、辞めようと思っている。

問2 マリアさんがすることは何か。

1　木曜日の17時45分頃(ごろ)アローロに行く。

2　金曜日に空いているレストランを探して予約し、山田さんに知らせる。

3　山田さんが金曜日のレストランの予約をしてくれるので、連絡を待つ。

4　いいレストランを探して、木曜日の予約をし、山田さんに知らせる。

練習65 次のAはイダ機械工業のクォン・ヒョンスさんからトーホー部品工業の田村さんへのメールで、Bはトーホー部品工業の山田部長（田村さんの上司（じょうし））からクォン・ヒョンスさんへのメールである。AとBの両方を読んで、後の問いに対する答えとして最もよいものを一つ選びなさい。

A

日時：2012年11月10日 19:20:54

トーホー部品工業株式会社
田村明様

いつもお世話になっております。
早速ですが、本日（10日）17時までに納めていただく予定のEW2000-B、3000個ですが、現在19時を過ぎた時点でまだ届いておりません。
至急ご確認いただけますでしょうか。
当方では、取り付け作業の日程が厳しいため、遅くとも明日（11日）17時までには納品していただきたく思っています。

先ほど第3営業部と田村様の携帯に何度かお電話差し上げましたが、どちらも留守番電話になっておりました。
お忙しいところ申し訳ありませんが、至急ご確認の上、ご連絡いただきますようお願い申し上げます。

****
株式会社イダ機械工業
生産管理課　クォン・ヒョンス
kwonh@idamachinex.co.jp
Tel/Fax: 111-2222-3333

B

日時：2012年11月11日 10:56:53

株式会社イダ機械工業　生産管理課

クォン・ヒョンス様

いつもお世話になっております。

この度は、納期の件で大変ご迷惑をおかけしております。

先ほど田村がお電話でお伝えしましたが、EW2000-B、3000個は本日（11日）15時までに必ずお届けいたします。すでに田村が現物を持って御社に向かいましたので、お受け取りくださいますようお願いいたします。

その後、原因を確認いたしましたところ、運送会社への納期の連絡が不十分だったということがわかりました。私どもの不手際で、このような事態となりましたことを心からお詫び申し上げます。今後このようなことが起こらないよう万全を期す所存でございます。

後日改めまして、お詫びに伺わせていただきます。何とぞよろしくお願い申し上げます。

_/_/_/_/_/_/_/_/_/_/_/_/_/_/_/

トーホー部品工業株式会社

第３営業部　山田　弘

yamadahiroshi@tohobuhinx.ne.jp

Tel/Fax: 555-6666-7777

問１ AとBのメールの内容として正しいのはどれか。

1　AはEW2000-Bの納期（のうき）が遅れているので、電話するように伝えている。
　　Bは納期が遅れたことを改めて手紙でお詫（わ）びすると言っている。

2　AはEW2000-Bが届かないが、その理由を聞いている。
　　Bはその理由がわからないことを謝（あやま）っている。

3　AはEW2000-Bが届かないが、確認して連絡してほしいと言っている。
　　Bは届かなかった理由を知らせ、謝っている。

4　AはEW2000-Bの納期について連絡がないと怒っている。
　　Bは納期が遅れた原因を説明し、お詫びに伺うと言っている。

問２ EW2000-Bの納期が遅れた理由は何か。

1　イダ機械工業が運送会社にEW2000-Bの納期(のうき)を間違って伝えていた。

2　トーホー部品工業と運送(うんそう)会社との間で納期について誤解があった。

3　運送会社がトーホー部品工業が指定した日にEW2000-Bを届け忘れた。

4　トーホー部品工業からイダ機械工業への連絡が間違っていた。

4. 情報検索

◆情報検索は、広告、パンフレット、お知らせ、情報誌、ビジネス文書などの実用的な文章(情報素材)の中から、必要な情報を探し出す問題である。「第２部　広告・お知らせ・説明書きなど」で学んだことを生かして読もう。

情報検索の問題では、本文(情報素材)の前に、問題文と問い、選択肢がある。
問題文を読んで、どのような文章かチェックしよう。

例

問題 13　次はある大学で応募できる奨学金のリストである。下の問いに…。　←問題文

33　インドネシア出身で農学部２年生の男子学生、アリ君(20 歳)が応募できる奨学金はいくつあるか。　←問い

1　2つ
2　3つ
3　4つ
4　5つ
←選択肢

募集中の奨学金リスト　←本文

	奨学金名	月額	支給期間	対象
1	朝夕奨学会	大学院 ￥80,000	２年まで	タイ・インドネシア出身者。
2	大友国際	大学院 ￥100,000	２年間	アジア諸国出身者。

◆問いに答えるために、次の手順で考えよう。
・問題文からどんな文章かを知る。
・問いと選択肢から探すべき情報を知る。
・問いと選択肢にある言葉をキーワードにして本文から答えを探す。

☆ 例題32　右のページは、市役所からのお知らせである。下の問いに対する答えとして最もよいものを一つ選びなさい。

問1 日曜日の午後8時頃(ごろ)、祖母が急に高熱を出した。医者に診(み)てもらうにはどうすればいいか。

1　329-6521に電話をかけて、相談する。

2　329-5754に電話をかけて、相談する。

3　健康保険証(ほけんしょう)を持って、休日等夜間急病診療所(しんりょうじょ)へ行く。

4　健康保険証を持って、当番医に行く。

問2 12月31日午後6時頃(ごろ)、急に歯が痛くなり、がまんできなくなった。歯医者に診(み)てもらうにはどうすればいいか。

1　健康保険証(ほけんしょう)を持って、休日等歯科急病診療所(しんりょうじょ)へ行く。

2　健康保険証を持って、歯科当番医へ行く。

3　みなみ市急病医療情報センターに電話をかけて、相談する。

4　みなみ市歯科医情報センターに電話をかけて、相談する。

みなみ市役所からのお知らせ

—もしも急病のときは—

休日、夜間に受診できる機関

・・・・熱が出た！・・・・

■休日等夜間急病診療所（みなみ保健所２階） ☎329-6522　FAX:329-6521

【診療科目】内科、小児科、外科、耳鼻咽喉科

○平日夜間　＝　午後7時30分～10時30分

○土曜日　＝　午後５時～10時

○日曜日・祝日・年末年始　＝　午前９時～午後10時

※　診療受付は診療終了時間の30分前までです。

※　健康保険証・その他の医療証（コピー不可）を必ず持参してください。

■当番医

休日等夜間急病診療所がご自宅から遠い方には、近くの当番医を紹介します。

みなみ市急病医療情報センターにご連絡ください。 ☎329-5754

○日曜日・祝日・年末年始　＝　午前９時～午後５時

※　診療受付は４時30分までです。

※　健康保険証・その他の医療証（コピー不可）を必ず持参してください。

・・・・歯が痛い！・・・・

■休日等歯科急病診療所（みなみ保健所３階） ☎329-6191

○日曜日・祝日・年末年始　＝　午前９時～午後５時

※　診療受付は４時30分までです。

※　健康保険証・その他の医療証（コピー不可）を必ず持参してください。

○平日、土曜日も含め夜間急病は、**みなみ市歯科医情報センター**にご相談ください。

☎329-6196

■歯科当番医制度は現在休止しております。

どのような文章か

市役所からの休日、夜間に受診できる機関のお知らせ

問1 に答える

問い：日曜日の午後８時頃、祖母が高熱を出した。どうすればいい？

選択肢：電話する？　行く？　休日等夜間急病診療所？　当番医？

◇項目「■休日等夜間急病診療所」「■当番医」の「○日曜日」を見る

■休日等夜間急病診療所（みなみ保健所２階）　☎329-6522　FAX:329-6521

○日曜日・祝日・年末年始　＝　午前９時～午後10時

※　診療受付は診療終了時間の30分前までです。

※　健康保険証・その他の医療証（コピー不可）を必ず持参してください。

■当番医

…近くの当番医を紹介します。…みなみ市急病医療情報センターに…。　☎329-5754

○日曜日・祝日・年末年始　＝　午前９時～午後５時

１：329-6521は休日等夜間急病診療所のファックス番号である。

２：329-5754は当番医を紹介してくれる電話番号。当番医は日曜日午後５時までである。

３：正解

４：当番医は、日曜日午後５時までである。

問2に答える

問い：12月31日午後6時頃、歯が痛くなった。どうすればいい？

選択肢：休日等歯科急病診療所？　歯科当番医？　みなみ市急病医療情報センター？

みなみ市歯科医情報センター？　行く？　電話する？

◇項目「■休日等歯科急病診療所」を見る。

■休日等歯科急病診療所　○日曜日・祝日・年末年始　＝　午前9時～午後5時

○平日、土曜日も含め夜間急病は、みなみ市歯科医情報センターにご相談ください。

☎329-6196

1：休日等歯科急病診療所は5時までである。

2：歯科当番医制度は現在休止している。

3：みなみ市急病医療情報センターは病気のときに相談する。

4：正解

☆ 例題33　下の表は、杉ノ湖という観光地の宿泊施設案内(しせつあんない)である。下の問いに対する答えとして最もよいものを一つ選びなさい。

問1 ヤンさんは、日帰りで天然温泉に入りたいと思っている。条件(じょうけん)に合う施設(しせつ)はいくつあるか。

1　2か所　　2　3か所
3　4か所　　4　5か所

問2 ダノンさんは、2泊3日で天然温泉に入り、おいしい食事を楽しみたいと思っている。料理が自慢(じまん)で、一人1泊10,000円以下で利用できるのはどの施設(しせつ)か。

1　パークロッジ　　2　スパビレッジやすらぎ
3　湖畔の宿杉ノ湖　　4　杉屋敷旅館

宿泊施設：杉ノ湖地区

施設名	収容人数 部屋数	天然 温泉	朝夕食つき1泊 お一人様料金(円)	おすすめ
①杉ノ湖高原ホテル	300人 60部屋	○	12,000～15,000	乳白色の露天風呂、土地の野菜や魚を使ったおいしい料理でおくつろぎください。
②杉ノ湖大西ホテル	220人 44部屋	○	13,000～40,000	自家栽培の野菜を使った料理が好評です。日帰り入浴(大人1,000円小人800円)もございます。
③パークロッジ	220人 44部屋		8,000～12,000	お部屋とレストランの大きな窓からの眺望は杉ノ湖随一です。
④山の湯・森のホテル	130人 26部屋	○	10,000～25,000	森の静寂。大露天岩風呂は杉ノ湖随一の規模。
⑤スパビレッジやすらぎ	56人 14部屋	○	7,200	宿泊のみ(お食事なし)のリーズナブルなプラン(2名様以上。お一人4,800円)もご用意。
⑥深山の宿もりのいえ	35人 11部屋		16,400～26,900	自慢の特製山菜料理の昼食+入浴の日帰りプラン(要予約)もあり。
⑦湖畔の宿杉ノ湖	220人 40部屋	○	11,000～15,000	杉ノ湖を眼下に望む豊富な温泉。川魚料理が自慢。日帰り入浴可。
⑧青富士荘	28人 8部屋		8,000～12,000	少人数のお客様に最適な、のんびりとくつろげる宿です。
⑨旅館湖月	60人 15部屋		10,500～13,000	家庭的なサービス、山でとれた山菜やきのこ、川魚料理がおいしい。
⑩杉屋敷旅館	111人 32部屋	○	8,500～15,000	明治12年創業。趣のある建物と土地の食材を使った旬の料理が自慢です。日帰り貸切風呂4,500円。

どのような文章か

観光地の宿泊施設案内＝旅館・ホテルの情報

問１に答える

問い：日帰りで天然温泉。適切な施設はいくつ？

◇項目「天然温泉」を見る

〇　＝　①、②、④、⑤、⑦、⑩

◇「問い」のキーワードを探す　→　「日帰り入浴」

「おすすめ」を見る　→　②、⑦、⑩

２：正解

問２に答える

問い：天然温泉があり、料理自慢で、１泊１人10,000円以下で利用できる宿は？

選択肢：③「パークロッジ」、⑤「スパビレッジやすらぎ」、⑦「湖畔の宿杉ノ湖」、⑩「杉屋敷旅館」の中から問いの条件に合うものを探す。

◇項目「天然温泉」を見る

〇　＝　⑤、⑦、⑩

◇項目「料金」を見る

１泊１人10,000円以下　＝　⑤、⑩

◇「問い」のキーワードを探す　→　「おいしい食事」「料理が自慢」

項目「おすすめ」を見る

⑩土地の食材を使った旬の料理が自慢

１：③には、温泉がない。料理について書かれていない。

２：⑤は、料理について書かれていない。

３：⑦は、11,000円以上の部屋しかない。

４：正解

練習66　右のページは、やまゆり市の「やまゆりネット」というネットワークシステムの利用案内である。下の問いに対する答えとして最もよいものを一つ選びなさい。

問1　やまゆり市に住んではいないが市内の会社に勤めている人が、やまゆり市民と同じ料金で施設を利用するには何が必要か。

1　住所・氏名・生年月日が確認できるもの
2　社員証か在勤証明書
3　住所・氏名・生年月日が確認できるものと社名の入った名刺
4　社員証か在勤証明書と住所・氏名・生年月日が確認できるもの

問2　ジョンさんは、2009年6月1日にやまゆりネット利用登録をした。もうすぐ有効期間が終わる。登録料なしで更新するにはどうすればよいか。今日は2012年3月10日である。

1　今日から5月31日までの間に、インターネットで登録を更新する。
2　6月になったら、インターネットで登録を更新する。
3　今日から5月31日までの間に、運転免許証と利用者登録カードを持って受付窓口へ行き、登録を更新する。
4　6月になったら、パスポートと利用者登録カードを持って受付窓口へ行き、登録を更新する。

やまゆりネット利用案内

「やまゆりネット」はやまゆり市公共施設予約システムです。利用者登録をすることで、施設の抽選申し込みや、空き施設の予約等がインターネットでできるようになります。

利用者登録について

- 利用者登録は、市役所や市の施設にあるやまゆりネット受付窓口で行っています。
- ご本人の運転免許証・パスポート・健康保険証など住所・氏名・生年月日が確認できるものをお持ちください。やまゆり市在住である必要はありません(やまゆり市在住・在勤・在学でない場合、施設利用料金は市民料金の1.2倍となります)。
- やまゆり市在勤・在学の方は、社員証・在勤証明書・学生証など通勤・通学先の確認ができるものもお持ちください。やまゆり市民料金で施設がご利用いただけます。(名刺は通勤先を確認するものとして使用できません。)
- 登録の有効期間は3年間です。登録料は500円です。

《注意》

(1) 利用者登録は本人申請です。(16歳以上)

(2) インターネット、携帯サイトでの登録はできません。

(3) 利用者登録カードを他人に貸すことはできません。

(4) 有効期限が過ぎると、やまゆりネットの利用ができません。ご本人の住所・氏名・生年月日が確認できるものと利用者登録カードを持参し、受付窓口で更新の手続きをしてください。期限切れの3か月前から更新手続きの受付をします。

＊有効期限が過ぎますと、再登録に500円かかります。

(5) 登録したパスワードは、インターネット・携帯サイトから変更できます。

(6) 施設情報及び空室状況は、利用者登録をされなくてもご覧になれます。

練習67 右のページは、「苗木・植樹」プレゼントのお知らせである。下の問いに対する答えとして最もよいものを一つ選びなさい。

問1 サムさんは、「苗木・植樹」プレゼントに応募したいと思っている。どうすればいいか。

1　応募用のはがきをエコ太陽のホームページからダウンロードし、自分の住所、氏名、年齢、電話番号を書き込んで郵送する。

2　エコ太陽のホームページから応募画面にアクセスし、応募に必要な情報を入力して送信する。

3　はがきを買ってきて、自分の住所、氏名、年齢、電話番号と希望する木の種類を書いてエコ太陽に送る。

4　インターネットの応募画面を見て、そこに指示されている情報をエコ太陽の問い合わせ先にメールする。

問2 マリアさんはプレゼントに当たった。当選券を使ってできるのはどれか。

1　自宅の庭にオリーブの苗木を植える。

2　友達の家にレモンとオリーブの苗木を送る。

3　「植樹会」に寄附をして、自分の好きな山に木を植えてもらう。

4　「植樹会」に寄附をして、自分の好きな木を植えてもらう。

みんなで木を植えよう！　5000名様に「苗木・植樹」プレゼント！

弊社では、2000年から「緑豊かな、すみやすい町づくり」を目指し、植樹活動を行っています。おかげさまで活動の輪が広がり、今では全国50か所以上で植樹が行われています。皆さんも植樹に参加しませんか？　今年は、抽選で5000名さまに、「苗木・植樹」をプレゼントいたします。お送りする苗木をお好きなところに植樹していただくこともできますし、植樹活動に寄附していただくこともできます。是非ご応募ください。

お問い合わせ先：エコ太陽（株）広報部　ecotai_koho@taiyo.co.jp

応募方法：

(1) 官製はがきの場合

①住所 ②お名前 ③年齢 ④電話番号を明記の上、ご応募ください。

応募先：〒333-9999　エコ太陽（株）「苗木・植樹」プレゼント係

(2) インターネットの場合

弊社ホームページの画面指示に従って必要事項を入力・送信してください。

【ＵＲＬ】http://www.ecoxxxtaiyoo.co.jp/event/xxxxx.html

応募締め切り：2010年12月17日（金）23:59（はがきの場合は当日消印有効）

当選発表：

1月下旬　「苗木・植樹」当選券の発送をもって発表にかえさせていただきます。

「苗木・植樹」当選券の使い方：

当選された方は、以下の方法で植樹に参加できます。

(1) お客様自身で植樹なさる場合

木の種類を以下の４つの中から１つ選んで、当選券にご記入の上、弊社までご返送ください。ご希望の苗木をお客様の指定された日、指定された場所にお届けいたします。

レモン　　オリーブ　　さるすべり　　モミジ

(2) 市民団体の植樹活動への寄附

NPO法人「植樹会」（http://www.shokuju-orgxx/）へ寄附できます。当選券を「植樹会」に送ると苗木１本分の寄附になります。記念に、植樹した木の写真にお名前を入れて送らせていただきます。

＊植樹する場所、木の種類は「植樹会」で決めさせていただきます（ブナ・ナラ・サクラなどです）。

練習68　右のページは、アサガオの種を買ったときに付いていた説明書である。下の問いに対する答えとして最もよいものを一つ選びなさい。

問1 アサガオの種をまこうと思っている。水のやり方として最も適切な方法はどれか。

1　種をまいた後毎日水をやる。植えかえた後、つぼみがつくまでは毎日水をやるが、花が咲いてからはあまりやらない。

2　種をまいた後あまり水をやらない。植えかえた後、つぼみがつくまで毎日たっぷり水をやり、花が咲いてからも、毎日水をやる。

3　種をまいた後毎日水をやる。植えかえた後、つぼみがつくまでは土が乾いてから水をやり、つぼみがふくらんでからは毎日水をやる。

4　種をまいた後あまり水をやらない。植えかえた後は、花が終わるまでずっと、土が乾いてからたっぷり水をやる。

問2 芽(め)が出たので植えかえようと思っている。次のうち最も適切なやり方はどれか。

1　新しい鉢(はち)の底に肥料(ひりょう)を入れる→少し土を入れる→根に付いた土を落とさないように前の鉢からアサガオを抜いて植える

2　新しい鉢の底に土を少し入れる→肥料を入れる→前の鉢からアサガオを抜いて、根に付いた土を落として植える

3　新しい鉢に土を少し入れる→根に付いた土を落とさないように鉢からアサガオを抜く→アサガオを植えてから肥料を入れる

4　新しい鉢の底に肥料を入れる→少し土を入れる→前の鉢からアサガオを抜いて、根に付いた土を落として植える

アサガオの育て方

アサガオは、７月から10月に花が咲きます。

その名の通り、朝咲く花です。午後にはしぼんでしまいますので、早起きして楽しみましょう。

種まき～芽が出るまで

５月が最適です。

アサガオの種は皮が固いので、表面に少し傷をつけ、**一晩水につけてから**まくと芽が出やすくなります。

植木鉢などに土を入れて湿らせ、種が重ならないようにばらばらにまきます。

１センチくらい土をかぶせて、乾かさないように毎日水やりをします。

種は一週間程度で芽が出ます。

芽が出たら

芽が出た後、葉が３～４枚程度になったら、少し大きい植木鉢に植えかえます。

新しい植木鉢の底に肥料を入れておきます。

土を少し入れたところで、アサガオを移します。

アサガオを鉢から抜くとき、根に付いた**土を落とさないように**注意しましょう。土が付いたまま新しい鉢に植えかえます。

花が咲くまで

鉢は日当たりの良い場所に置きますが、夜は光の当たらない場所に置きましょう。

ツルが伸びてきたら、棒などを立てます。アサガオのツルは左に向く傾向があります。左に巻きついて伸びていけるよう工夫するといいでしょう。

つぼみがつくまでは、土が乾いてから、水をたっぷりやるようにします。

つぼみがふくらんできたら、毎日水やりをしましょう。

花が咲いたら

花が咲いている間は、水を毎日与えます。肥料はやらないようにしましょう。

種を取る

花が咲き終わると、種ができます。種が茶色になったら取って、日の当たらない場所で乾かします。十分乾いたら、封筒などに入れて涼しい場所に置いておきましょう。

来年まけば、また美しい花が楽しめます。

練習69　右のページは、東京地区の大学のオープンキャンパス日程表である。下の問いに対する答えとして最もよいものを一つ選びなさい。

問1　ヤンさんは、経済学部のオープンキャンパスに参加したいと考えている。一日でできるだけたくさん回りたいが、いちばんたくさん回れるのは何月何日か。

1　7/31(土)　　2　8/21(土)

3　8/22(日)　　4　8/28(土)

問2　クリスさんは、8月20日にこの表を見た。工学部のオープンキャンパスへ行こうと考えているが、クリスさんがしたほうがいいことはどれか。

1　ひがし大学の入試問題解説に申し込む。

2　にしき大学の模擬授業を予約する。

3　一本木大学の入試説明会に申し込む。

4　早田大学の入試相談会を予約する。

東京地区　オープンキャンパス実施校と日程

大学名	日時	学部	備考
みやこ経済大学	①7/31(土) ②8/21(土) ③8/28(土)	経済	キャンパスツアー実施 ①②③11:00～　③13:00～ 自由参加
ひがし大学	①7/17(土) ②8/1(日) ③8/22(日)	経済・経営・工	入試問題解説実施(①②のみ) 希望者は大学ホームページから申込
野口工科大学	①8/22(日) ②8/29(日) ③9/5(日)	工	入試説明会(②③11:00～) 予約不要・入退場自由 詳しくは大学ホームページへ
にしき大学	①8/14(土) ②8/28(土) ③8/29(日)	経営・農	模擬授業実施(② 10:00～) 実際の授業が体験できます 予約は大学ホームページへ
一本木大学	①7/24(土) ②8/21(土) ③8/28(土)	工・経済	入試説明会(②③各午前・午後) 希望者は大学ホームページから申込
目黒大学	①7/17(土) ②7/18(日) ③8/22(日)	文学・教育	各日入試相談会あり 予約不要・入退場自由
白山大学	①8/21(土) ②10/10(日)	経済・経営	②は大学祭期間中
早田大学	①8/7(土) ②8/28(土)	理・工・農	入試相談会実施(10:00～16:00) 両日　予約不要・入退場自由
すみだ大学	①8/1(日) ②8/29(日)	工	模擬授業実施(①のみ) 希望者は大学ホームページから予約申込
茶の木大学	8/29(日)	文学・教育・理	模擬授業実施 詳しくは大学ホームページへ 予約不要・入退場自由

練習70　右のページは、さくら大学の学生寮の一覧である。下の問いに対する答えとして最もよいものを一つ選びなさい。

問1 マイクさんは、さくら大学経済学部に合格した男子学生である。入学してから卒業するまで4年間、ずっと住んでいられる寮に入りたいと思っている。いくつあるか。

1　1つ

2　2つ

3　3つ

4　4つ

問2 ファンさんは、さくら大学医学部2年生の男子学生である。来年度から寮に入りたいと考えている。一人部屋で、6年生までいることができるいちばん安い寮はどれか。

1　あさひ寮

2　白波寮

3　清風寮

4　大空寮

学生寮一覧

名称 構造（築年）	入寮対象学生	在寮 年限	部屋・設備	定員	料金 （月額）
レジデンス桜 鉄筋５階（2000年）	学部（１・２年生）の 男子学生	２年	一人部屋・ エアコン付き	50名	6,800円
レジデンス緑 鉄筋５階（1999年）	学部（１・２年生）の 女子学生	２年	一人部屋・ エアコン付き	50名	6,800円
あさひ寮 鉄筋５階（1982年）	学部（１・２年生）の 男子学生	２年	一人部屋	100名	4,000円
ゆうやけ寮 鉄筋５階（1981年）	学部（３～６年生）・ 大学院の男子学生	２年	一人部屋・ エアコン付き	60名	5,000円
			二人部屋・ エアコン付き	70名	4,800円
かえで寮 鉄筋４階（1981年）	学部（１～６年生）・ 大学院の女子学生	４年 （６年）	一人部屋・ エアコン付き	64名	4,800円
白波寮 鉄筋２階（1975年）	学部（１～６年生）・ 大学院の男子学生	２年 （４年）	一人部屋	22名	4,000円
			二人部屋	60名	3,500円
清風寮 鉄筋４階（1975年）	学部（３～６年生）・ 大学院の男子学生	４年 （６年）	一人部屋	96名	4,500円
大空寮 鉄筋４階（1970年）	学部（１～６年生）・ 大学院の男子学生	４年 （６年）	四人部屋	160名	700円
青梅寮 鉄筋４階（1970年）	学部（１～６年生）・ 大学院の女子学生	４年 （６年）	四人部屋	160名	700円

◆入寮対象者学生欄の学部５・６年次は、医学部・歯学部・薬学部薬学科の学生を示します。

◆在寮年限欄の（　）は、医学部・歯学部・薬学部薬学科学生の在寮年限を示します。

模擬試験

問題１　次の文章を読んで、後の問いに対する答えとして最もよいものを、１・２・３・４から一つ選びなさい。

仕事人間という言葉は、人生を会社にささげてしまい、定年後に何もできないようでは困るという意味で使われることが多い。確かに人間として、会社での仕事だけしかできないというのはある意味でさみしいことかもしれない。けれど、私はそうとばかりも言えない気がする。もしその人が、たとえば船長が船とともに沈没したいと思うように会社とともに生きたいと思うなら、それはそれで素晴らしいことではないだろうか。一生目標がみつからず、「合わない」「向かない」と繰り返すよりも、ずっと素直で幸せと言えるかもしれないではないか。

（三宮麻由子『目を閉じて心開いて』岩波書店）

1　この文章で筆者が最も言いたいことは何か。

1　仕事しかできない人生というのは困るし、さみしいが、しかたないことである。
2　目標を見つけ、自分の時間を会社のために使うのが、最も幸せな人生だ。
3　船の船長が船とともに生きるのは、会社での仕事だけの人生より素晴らしい。
4　すべてのものの中で会社の仕事を一番に考えて生きるのも幸福な人生と言える。

問題２　次の文章を読んで、後の問いに対する答えとして最もよいものを、１・２・３・４から一つ選びなさい。

問題を抱えた状態（じょうたい）は、なにも苦しいことばかりではない。たとえば、なにかものを作っているときのことを考えてみよう。

小説でもマンガでも音楽でもゲームでも椅子（いす）でも、なにかを作っている最中には、なにをしていても作っているもののことを考えたりすることがある。「あそこはどういうふうにしよう」とか「ここはもっと改良（かいりょう）の余地（よち）がある」だなんて、そのものに夢中になっているとき、人は問題が解決されずに問題としてとどまっている状態を楽しんでいる。

（山本貴光、吉川浩満『問題がモンダイなのだ』筑摩書房）

２　この文章で筆者が最も言いたいことは何か。

1　問題を考えることに夢中になっているとき、人はその状態（じょうたい）を楽しんでいる。
2　人は、問題を自分の力で変えたり、改良（かいりょう）したりできたときに、喜びを感じる。
3　人は、なにかを作っているとき、その完成を楽しみにして取り組んでいる。
4　問題があっても、なにかほかに夢中になれることがあれば、苦しいことが減る。

問題３　次の文章を読んで、後の問いに対する答えとして最もよいものを、１・２・３・４から一つ選びなさい。

脳も筋肉（きんにく）と同じように、使えば疲労（ひろう）します。

体でも、同じ姿勢（しせい）を長く続けていると（同じ筋肉に同じ負荷（ふか）(注1)をかけ続けることになるので）動いているときよりも早く疲れる、ということがありますが、これは脳でも同じです。

同じ状態（じょうたい）で、同じようなことを考え続けていると、いろいろなことに脳を使っているときより、早く疲れる。興味（きょうみ）が起こらなくなると言った方が正しいかも知れません。

（築山節『脳と気持ちの整理術　意欲・実行・解決力を高める』日本放送出版協会）

（注1）負荷（ふか）：負担

3　筆者は、脳を効果的に使うにはどうすればよいと考えているか。

1　頭を使うときは部屋から出ないようにして、一人でずっと問題に取（と）り組（く）む。

2　部屋で同じことを考え続けるのではなく、外に出るなど取り組み方に変化をつける。

3　さまざまなことを考えずに、できるだけ集中して同じ問題に取り組む。

4　ときどき体の姿勢（しせい）を変えながら、一つのことを考え続ける。

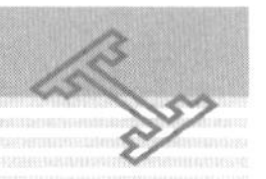

問題4　次の文章を読んで、後の問いに対する答えとして最もよいものを、1・2・3・4から一つ選びなさい。

近年(きんねん)、住宅街(じゅうたくがい)での犯罪率が上昇(じょうしょう)する中、ある町の活動が注目されている。これは「自分たちの町を自分たちで守り、危険を早い段階で発見しよう」と、数人のグループで昼夜(ちゅうや)、町のパトロール(注1)を始めたもので、防犯パトロールと呼ばれる。これにより、昼間は仕事などで留守にする人々もパトロール中の人々とあいさつを交(か)わすようになり、仲間意識を持つようになった。その結果、町全体の防犯意識も高まり地域の雰囲気(ふんいき)が犯罪者にとって居心地(いごこち)の悪いものになった。こうして、犯罪の発生(はっせい)が抑制(よくせい)され犯罪率が低くなったのである。

(注1)パトロール：地域をまわって安全を確認する活動

[4] この町で犯罪率が低くなったのはなぜか。

1　町の住民がグループになり、犯罪者を捕まえる活動を始めたから。

2　町の住民の仲間意識が高まり、犯罪者には居心地(いごこち)が悪くなったから。

3　町の住民が仲良くなることによって、犯罪者になる者が減少したから。

4　昼間留守がちな住民が中心となって、地域の安全を守ろうとしたから。

問題５　次の文章を読んで、後の問いに対する答えとして最も良いものを、１・２・３・４から一つ選びなさい。

平成23年7月31日

南大川駅をご利用の皆様

①＿＿＿＿＿＿＿＿＿＿＿＿＿＿＿＿

南大川駅をご利用いただきましてありがとうございます。
現在、南大川駅では、駅の改良工事を行っています。この工事に伴いまして、8月27日(土)より、駅南側の階段が使えなくなります。ご利用のお客様には大変ご不便をおかけいたしますが、東口階段、または東側エレベーターをご利用いただきますようお願いいたします。
皆様のご理解とご協力をお願いいたします。

工事内容：　南側階段架け替え工事
　　　　　　南側エスカレーター設置工事
工事期間：　平成23年8月27日　～　平成23年12月25日

南大川駅長

5 ①＿＿＿に入るものとして最も適切なものはどれか。

1　南大川駅ご利用のお礼
2　南大川駅改良（かいりょう）工事のお知らせ
3　南側（みなみがわ）階段一時使用中止のお知らせ
4　南側階段横エレベーター設置（せっち）のお知らせ

問題6　次の文章を読んで、後の問いに対する答えとして最も良いものを、1・2・3・4から一つ選びなさい。

はじめて日本で、日本語で研究発表をしたときのことです。どういう問題を扱（あつか）うかを説明して、文例（ぶんれい）資料を検討（けんとう）しつつ、まだ知られていない言語の規則を明瞭（めいりょう）に定式化（ていしきか）し結論を述べました。わたしとしては発表を終えたつもりでしたが、そこにいた①出席者からはなんの反応（はんのう）もありません。皆、おとなしく待っているだけでした。結論が言われたということがわからないのは、わたしが述べた論証（ろんしょう）(注1)が全然理解できなかったからだろうと思って、もう一回それまでの説明の大筋（おおすじ）を要約（ようやく）しました。しかし後で考えて、必要だったのは、終わりの言葉だったとわかりました。もし最後に「以上です」と言っていれば、皆にも発表が終わったことが明らかになっていたでしょう。（中略）

実際、儀式（ぎしき）では言うまでもなく、格式張（かくしきば）らない(注2)パーティーのときでも、スピーチと拍手（はくしゅ）、さらに最後には一本締（じ）め(注3)だか、三本締めだかで、つねに時間の流れを区切ってリズムをつくるのが日本的作法のように思えます。そういう習慣を見ると、日本人は②はっきりした句点（くてん）がないと、すぐ不安になる人たちに見えます。

（フランス・ドルヌ＋小林康夫『日本語の森を歩いて――フランス語から見た日本語学』講談社）

(注1) 論証（ろんしょう）：何かが正しいかどうかを論理的に明らかにすること

(注2) 格式張（かくしきば）らない：礼儀や形式を気にしない、カジュアルな

(注3) 一本(三本)締（じ）め：儀式などで、最後に皆で一緒に1回(3回)手拍子を打つこと

6　①出席者からはなんの反応（はんのう）もありませんとあるが、それはなぜか。

1　発表の論証（ろんしょう）が理解できなかったから。

2　発表が終わったことを示す言葉がなかったから。

3　一本締（じ）めや三本締めがなかったから。

4　周りの人が皆おとなしく待っているから。

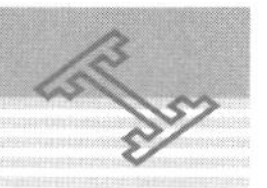

7 ②はっきりした句点がないとはどういう意味か。

1　リズムが正確ではない。

2　時間通りに物事を始めたり終えたりしない。

3　時間の流れを区切る目印になるものがない。

4　作法が日本的ではない。

8 この文章の内容として最も適切なものはどれか。

1　日本人は時間の区切りに敏感で時間に正確である点を、ほかの国の人も見習うべきである。

2　日本で発表する人は、日本的作法に従って、最後に「以上です」と言うべきである。

3　日本の研究会で、発表者が結論を述べても反応を示さないのは、困ったものである。

4　決まった言葉や行動によって時間の流れを区切ることが、日本人にとっては大切らしい。

問題7　次の文章を読んで、後の問いに対する答えとして最も良いものを、1・2・3・4から一つ選びなさい。

ある夜、ジャズのライブで女性シンガー(注1)が面白いことをいいました。

彼女には中学生の息子がいます。親子関係は悪くはない。「ふつう」ということです。しかしその「ふつう」の親子関係でも、最近では息子が母親に平気で、「このタコ(注2)」などというそうです。

「早く食べて学校へ行きなさい」

などというと、きげんが悪いときは、

「うるさいな、タコ」と答える。

①それでその母親はこう切り返すそうです。

「ハーイ、タコでーすー♪」

シンガーですから、これをメロディにのせて歌うように答える。タコのように手足をくにゃくにゃさせながら。

これに対して息子は、ハーッとため息をつくも素直に食卓につくそうです。

平凡な親子の一風景のようですが、②私は彼女のこの受け答えに感心しました。これ以上の回答はないような気がするのです。まず、「タコ」といわれた母親が「タコとはなんだ！」とはねつけず、「タコです」と相手の言葉を受け止めたという点。そして、字面にするとうまく伝わらないかもしれませんが、身振りよろしく歌にのせて返したということ。

それによって母親自身が「タコ」という侮蔑(注3)の言葉を、心理的に体内で溶解(注4)させて受け止めることができる。(中略)

そんな感想を私はもちました。これは勝手な心理分析ですが、このやりとりがケータイメールでなされたら、③こうはいかないでしょう。

(藤原智美『検索バカ』朝日新聞出版)

(注1)シンガー：歌手

(注2)タコ：海に住む体の柔らかい生物で、足が8本ある。ここでは悪口として使われている。

(注3)侮蔑：相手をばかにして下に見ること

(注4)溶解：物を溶かすこと

9 **①それでその母親はこう切(き)り返(かえ)す**とあるが、息子はどのように反応したか。

1　歌手である母親の歌と踊りに感動し、不機嫌(ふきげん)であったことを忘れて席についた。

2　母親にもっと文句(もんく)をいいたいが、母親に怒られるのが怖くて席についた。

3　思いがけない母親の態度(たいど)に驚(おどろ)き、それ以上侮蔑(ぶべつ)の言葉はいわずに席についた。

4　母親に侮蔑の言葉をいったことを後悔(こうかい)しながら席についた。

10 **②私は彼女のこの受(う)け答(こた)えに感心しました**とあるが、筆者が感心したのはどのような点か。

1　息子の言葉を受け入れ、別のものにして返した点

2　甘やかさずに息子をきちんとした人間に育てようとしている点

3　どんなときでも怒ったりせずに、息子のやりたいようにやらせている点

4　息子の侮蔑(ぶべつ)の言葉は無視(むし)して、怒らずに会話を続けようとした点

11 ケータイメールでは**③こうはいかない**と筆者が考えるのはなぜか。

1　微妙(びみょう)な気持ちまで文字ではっきり表現されてしまうから。

2　受(う)け答(こた)えに時間がかかりすぎるから。

3　文字だと、息子の反抗的(はんこうてき)な態度(たいど)が伝わらないから。

4　歌うような声の調子や身振(みぶ)りが伝わらないから。

問題8　次の文章を読んで、後の問いに対する答えとして最もよいものを、1・2・3・4から一つ選びなさい。

遠くから自分の社会を見る、という経験のいちばん直接的な形は、異国(注1)で日本のニュースを見る、という機会です。ある朝、小さい雑貨店の前の石段に腰を下ろして「午前」のバスを待っていると、新聞売りの男の子がきて「日本のことが出ているよ！」という。日本のアゲオという埼玉県の駅で、電車が一時間くらい遅れたために乗客が暴動を起こして、駅長室の窓がたたき割られた、という報道だった。世界の中にはずいぶん気狂いじみた国々がある、という感じの扱いだった。ぼくは①その中にいた人間だから、朝の通勤時間の五分一〇分の電車のおくれが、ビジネスマンにとってどんなに大変なことか、よくわかる。分刻みに追われる時間に生活がかけられているという、ぼくにとってはあたりまえであった世界が、〈遠くの狂気(注2)〉のようにふしぎな奇怪(注3)なものとして、今ここでは語られている。

近代社会の基本の構造は、ビジネスです。businessとはbusyness、「忙しさ」ということです。「忙しさ」の無限連鎖(注4)のシステムとしての「近代」のうわさ。②遠い鏡に映された狂気。ぼくはその中に帰って行くのだ。

（見田宗介『社会学入門』岩波書店）

（注1）異国：外国

（注2）狂気：精神状態が正常でないこと

（注3）奇怪：常識では考えられないほど変わっていて不気味なこと

（注4）連鎖：つながっていること

12　①その中とはどこか。

1　雑貨店

2　駅長室

3　暴動が起きた電車

4　日本

13 ②遠い鏡（かがみ）とは何を指しているか。

1 筆者が今いる国から遠く離れた日本の人々の考え

2 筆者が今いる国の人々が読む新聞

3 筆者が今いる国でも日本でもないところの報道（ほうどう）

4 暴動（ぼうどう）を起こした人々のものの見方

14 この文章で筆者が最も言いたいことは何か。

1 今いる国の様子が少しずつわかってきて、この国でずっと過ごしたい気持ちになった。

2 外国で日本のニュースを知り、日本がなつかしく感じられ、帰りたい気持ちになった。

3 外国にきて、その国の新聞を読むことによって、日本を異（こと）なる視点（してん）から見ることができた。

4 外国にきて、その国と日本との違いがわかり、その国の不思議さと狂気（きょうき）に気づいた。

問題９　次のＡとＢは、子供の読書について書かれた文章である。ＡとＢの文章を両方読み、後の問いに対する答えとして最もよいものを、１・２・３・４から一つ選びなさい。

A

読書好きの子供たちに、おすすめの本を聞いてみると、「○○という登場人物が活躍するシリーズ本！」という答えがよく返ってくる。親世代にも「名探偵シャーロック・ホームズ」(注1)などに夢中になった人がいることだろう。

今は、子供向けのシリーズものが数多く出版されている。３人組の少年が町に起きた事件を解決するシリーズ、小学生の女の子が温泉の女主人候補として活躍するシリーズ、などが代表的だ。こうした本に親しんでいる子供は「次はどんな展開になるんだろう」とわくわくして次の巻へと読み進み、楽しい読書体験を重ねていく。子供時代のこうした経験は貴重である。将来の読書習慣への第一歩と言えるからだ。

B

シリーズものというのは、だれにとっても誘惑的な存在です。読書好きな大人でも、気楽に本を楽しみたいときには、好きな作家のおなじみのシリーズを選びがちですが、それは、基本設定や主な登場人物がわかっていて、その世界に入りこみやすく、入ってみたら苦手な世界だったという心配もいらないからです。読書力のない子どもならなおさらで、数をかせぎたい(注2)ときには、探すのも楽、読むのも楽というのは、とても大きな誘惑です。(中略)しかし、成長期の子どもの時間は、九歳の一年と十歳の一年とではまるでちがう、かけがえのないものであって、その貴重な時間が、一人の作家の一つの世界に長期にわたって占領されてしまうというのは、たとえそのシリーズの内容がそう悪くなくても、明らかに問題です。

（B：脇明子『読む力は生きる力』岩波書店）

(注1) シャーロック・ホームズ：イギリスの小説の主人公

(注2) 数をかせぐ：ここでは、読んだ本の冊数を増やして学校での評価を高くすること

15 AとBのどちらの文章にも書かれている内容はどれか。

1 シリーズものの内容の具体例

2 シリーズものは人気があるという事実

3 シリーズものが好きな子供の年齢の例

4 大人が子供にシリーズものを読ませたがる理由

16 子供がシリーズものを読むことについて、Aの筆者とBの筆者はどのような立場をとっているか。

1 Aは肯定的な立場だが、Bは否定的な立場である。

2 Aは肯定的な立場だが、Bは立場を明らかにしていない。

3 Aは立場を明らかにしていないが、Bは否定的な立場である。

4 AもBも立場を明らかにしていない。

問題10　次の文章を読んで、後の問いに対する答えとして最もよいものを、1・2・3・4から一つ選びなさい。

今の若者(わかもの)は学校の先生などに関心がないのかと言うと、そんなことはない。逆に大学生の集まりに顔を出すと、教員の話題があまりに多く出てくるので驚(おどろ)くことがある。

では、彼らはいったい先生や教員の何について話しているのか。それは、一言で言えばウワサ話である。「○○先生、このあいだ若い女性と歩いているのを見ちゃった」「××先生って、おしゃれだよね」といった何気ないウワサを延々(えんえん)と語(かた)り合(あ)っては、笑ったりびっくりしたりしている。もちろん、時には授業(じゅぎょう)やテストの話題になることもあるが、それにしても「あの先生、授業のときってけっこう笑顔がかわいいよね」などと、内容ではなくてそのときの様子などについての話になることが多い。

彼らが、共通の知り合いであるほかの大人——だれかの親やどこかの店員など——についてそうやって語り合っているのを見ることは少ない。「先生」というのは、若者にとってある特別な意味を持つ大人であるようだ。

その意味でいちばん大きいのは、やはり自分と密接(みっせつ)にして特殊(とくしゅ)な関係にある、ということだと思う。先生は自分に何かを定期的に教えてくれる大人であり、さらには成績や進級(しんきゅう)、卒業などを決定する権利を持つ大人である。今の若者たちにとって、そういう関係性のはっきりした大人というのは、よく考えてみるとそう多くない。親戚(しんせき)づき合いも減り、町内会長(ちょうないかいちょう)や近所のご意見番(注1)といった、役割の明確な大人も身のまわりから姿(すがた)を消しつつある。親でさえ、"友だち親子"と言われるように①<u>自分とほとんど地続(じつづ)きの人間</u>になってしまった。

精神医学者の中でも、これを「世代間(せだいかん)境界の喪失(そうしつ)(注2)」と呼んで問題視(もんだいし)する動きがある。「だれでも友だち」という人間関係は、一見(いっけん)、風通(かぜとお)しがよい(注3)ものに見える。しかし、実は若者たちはその中で、自分をうまく位置(いち)づけることができず、いつまでも自分が何者(なにもの)かを定(さだ)められずにいるのではないか、というのだ。もちろん、「親だから」「町内会長だから」と意味もなく権威(けんい)を振(ふ)りかざされるのは、絶対(ぜったい)にイヤだ。ただ、だからといって自分を指導しお手本(てほん)を見せてくれるべき人が、いつも自分と同じ目線(めせん)の高さにしかいてくれない、というのも若者にとってはまた困ることなのだ。

そういう意味で、関係がはっきりしている先生というのは、若者にとってはとてもわかりやすく安心できる存在なのだろう。私の知人の大学教員が、学生に「キミたちも大人なんだから、私のことを先生と呼ばずに○○さんと呼びなさい」と言ったが、一向(いっこう)に②<u>「先生」をやめてくれない</u>、と話してくれたことがあった。彼らとしては、せっかく手に入れた「先生」という特殊な関係をそう簡単には手放(てばな)したくないのかもしれない。

（香山リカ『若者の法則』岩波書店）

(注１) ご意見番：注意をする役割の人

(注２) 喪失：何かをなくすこと

(注３) 風通しがよい：ある集団の中で意志や情報がよく伝わる

17 ①自分とほとんど地続きの人間とは、どのような人間か。

1 自分のすぐそばにいる人間

2 自分と同じような位置にいる人間

3 自分のことを大切にしてくれる人間

4 自分からは遠い存在だが、つながりのある人間

18 ②「先生」をやめてくれないのは、だれか。

1 筆者

2 親

3 知人の大学教員

4 知人が教えている学生

19 筆者がこの文章で最も言いたいことはどんなことか。

1 今の若者にとって、先生はウワサ話の対象になるような身近な人間であり、友だちのような感覚で接することができる存在である。

2 今の若者のまわりには大人が少なく、親との関係も薄いので、密接に接することができる先生に関心を持ち、親しみを感じている。

3 今の若者は先生に関心を持っているが、それは互いの役割がはっきりしており、その中で自分を位置づけられ、安心できるからである。

4 今の若者は先生を特別な存在と考えているが、それは自分と同じ高さの目線で、何かを教えてくれる人間だからである。

問題11　右のページは、青葉丘区役所のホームページに載っている小学校入学手続きである。下の問いに対する答えとして最もよいものを、１・２・３・４から一つ選びなさい。

20 リンさんは2012年の４月から新１年生として子供を小学校に入学させたいと考えている。子供の外国人登録は2011年の５月に済ませたが、10月になっても「入学手続きのご案内」が届かない。リンさんはどうしたらいいか。

1　子供の外国人登録証明書とパスポートを教育委員会に持って行って、手続きをする。

2　教育委員会で子供の外国人登録を再度行ってから、入学手続きをする。

3　青葉丘区役所に連絡をして、「入学手続きのご案内」を送ってもらう。

4　教育委員会学事課に連絡をして、「入学手続きのご案内」を送ってもらう。

21 2011年の９月に青葉丘区に引っ越して来たアンさんは、子供を翌年４月から小学校に新１年生として入学させたい。指定校ではなく、青葉丘区内の別の通学区域に住む友達の子供と同じ小学校に通わせることができるか。

1　友達の子供と同じ小学校に通わせることはできない。

2　教育委員会で入学手続きをするときにその小学校を選択すれば、通わせることができる。

3　友達の子供が通っている小学校から許可が得られれば、通わせることができる。

4　アンさんの子供の指定校と友達の子供が通っている小学校から許可が得られれば、通わせることができる。

2011年4月1日

青葉丘区に外国人登録があるお子様を区立小学校に入学させたい保護者の方

2012年度・新1年生の場合

このページは、青葉丘区に外国人登録があり、2012年の4月に新1年生として小学校に入学する年齢のお子様がいる保護者の方へのご案内です。

■新1年生として入学式から学校へ入学させたい場合、教育委員会への届け出が必要です。教育委員会からお送りする「入学手続きのご案内」に従って手続きを行ってください。

■入学する学校は、お住まいの住所地に基づいて教育委員会が定めています（「指定校」といいます）。入学する小学校を**自由に選択することはできません**。

＊通学区域について詳しくは**こちら**をご覧ください。

＊引っ越し等により、入学予定のお子様の兄、姉と異なる小学校が指定校になっていて、兄、姉と同じ小学校に通わせることを希望する方は、双方の小学校に直接ご相談ください。

8月末までに青葉丘区でお子様の外国人登録を行った方

2012年4月に小学校に入学する年齢のお子様の外国人登録手続きを、2011年の8月末までに青葉丘区で行った方には、「入学手続きのご案内」をお送りしています。

9月中に、外国人登録のある住所宛てに送付しますので、ご案内に従って入学手続きを行ってください。**10月に入っても、「入学手続きのご案内」が届いていない場合は、教育委員会学事課までご連絡ください。**すぐにお送りします。

9月以降にお子様の外国人登録を行った方

2011年の9月以降に、青葉丘区で外国人登録をしたお子様については、教育委員会から「入学手続きのご案内」はお送りいたしません。小学校に入学をご希望の場合は、以下の窓口で手続きを行ってください。

手続きをする窓口

青葉丘区教育委員会学事課（区役所本庁舎12階）の窓口

必要な書類：お子様の「外国人登録証明書」とお子様の「パスポート」

青葉丘区教育委員会学事課　TEL:012-55-6677

著者
田代ひとみ
　東京外国語大学留学生日本語教育センター非常勤講師
中村則子
　早稲田大学日本語教育研究センター非常勤講師
初鹿野阿れ
　名古屋大学国際教育交流センター特任教授
清水知子
　横浜国立大学国際戦略推進機構非常勤講師
福岡理恵子
　東京外国語大学留学生日本語教育センター非常勤講師

イラスト
山本和香

装丁・本文デザイン
糟谷一穂

新完全マスター読解　日本語能力試験N2

2011年8月23日　初版第1刷発行
2021年4月22日　第7刷発行

著　者　田代ひとみ　中村則子　初鹿野阿れ　清水知子　福岡理恵子
発行者　藤嵜政子
発　行　株式会社　スリーエーネットワーク
〒102-0083　東京都千代田区麹町3丁目4番トラスティ麹町ビル2F
電話　営業　03(5275)2722
　　　編集　03(5275)2725
https://www.3anet.co.jp/
印　刷　倉敷印刷株式会社

ISBN978-4-88319-572-5　C0081

新完全マスター 読解
日本語能力試験 N2

解答と解説

スリーエーネットワーク

練習1

子供がテレビゲームをする理由について書かれた文章である。

対比（子供と大人）に注目する。

緊張を避けるために、大人はカラオケに行き、子供はテレビゲームをする。

1：子供の友達同士でカラオケに行けないからではない。

2：正解

3：大人もカラオケに行くべきではないとは書かれていない。

4：子供がカラオケに行くとは書かれていない。

練習2

部活動などスポーツ活動の管理について書かれた文章である。

対比（一般的な考え「部活動の事故は管理者だけに責任がある」と、筆者の考え「完璧に観察し、適切な判断を…おこなうことは不可能に近い」）に注目する。筆者は、今の状況では安全管理が十分にできないと書いている。

1：指導者が事故にもっと責任を持つべきだとは書かれていない。

2：部員に報告する義務があるとは書かれていない。

3：事故の責任が部員本人にあるとは書かれていない。現場の指導者や、施設管理者に責任があるかのように思われていると書かれている。

4：正解

練習3

ボランティア活動に向いている人について書かれた文章である。

対比（一般的なイメージのボランティアと筆者の考えるボランティア）に注目する。

一般的なボランティアのイメージは、人の嫌がる仕事を引き受けたり、お年寄りやハンディキャップをもつ人を的確に世話したりする、正義感が強いやさしい人。

筆者の考えるボランティアは、責任を持って活動できる人。

1：正解

2：お年寄りやハンディキャップを持つ人を的確に世話する能力は、徐々に身についていくものである。

3：責任感は必要である。

4：「よいことをする！」という気持ちが強くない人のほうが、自然体でボランティアができる。

練習4

近代社会における自由について書かれた文章である。

対比（近代以前の社会と近代社会）に注目する。近代以前では、職業の選択肢がほとんどなく、一生同じ地域で暮らすことが多かった。それに対し、近代では自由が大切にされ、職業選択も移動も自由になり、人やモノや情報が行き交うようになったことが書かれている。

1：筆者は、移動の自由だけについて言いたいのではない。

2：正解

3：近代社会が自由という理念を大切にする理由は、それ以前に自由がなかったためだ、とは書かれていない。

4：人も情報も多すぎて社会が不安定になるとは書かれていない。

練習5

創造的な編集について書かれた文章である。

対比（知名度の高い執筆者ばかり適当にそろえて一冊の雑誌をつくる編集と、創造的編集）に注目する。前者は、失敗は少ないが、創る喜びが少ない。

創造的編集とは、「固いつぼみを見つけ出して、これにあたたかい春の風を送り、花に育てる編集」のこと（創造的編集＝まだ発見されていない才能を見つけ出し、励ましたりして、りっぱな書き手に育てることの比喩）。

1：正解

2：雑誌をつくること自体が創造的で芸術的な仕事だとは書かれていない。

3：時間をかけることではなく、まだ知られていない才能を見つけ育てることが創造的編集である。

4：雑誌をつくる編集者の才能については書かれていない。

練習6

視野について書かれた文章である。

言い換えに注目する。

「視野に入っていても注意していなければ見えない」＝「網膜の上には映っていても、意識のアンテナが働いていない」

1：老人が視野に入っていないからではない。（意識していないからである。）

2：若者のことは一つの例でしかなく、この文章のテーマではない。

3：正解

4：意識のアンテナをよく働かせなければならないとは書かれていない。

練習7

報道には主観が含まれることについて書かれた文章である。

言い換えに注目する。「感情や好き嫌い」＝主観

何を報道するか、何をニュースにするかを決める段階で客観的でなくなる。つまり、主観が入っている。

1：正解

2：ニュースの価値は、客観的な基準やデータ、つまり客観的な要素だけで決められているのはない。

3：好き嫌いに気をつけるべきだとは書かれていない。

4：主観的に報道すればよいという提案ではない。

練習8

人間の自由について書かれた文章である。

言い換えに注目する。「自由」＝「自分勝手」

自分勝手に振る舞おうとすると、他人の勝手と衝突する。

1：自分勝手な行動はやめなければならないとは書かれていない。

2：完全に自由になることを好むわけでもないとは書かれていない。

3：衝突の重要性を主張しているのではない。

4：正解

練習9

「できる人」と思わせるにはどうすればいいかについて書かれた文章である。

言い換えに注目する。「できる人と思わせる」＝「できる人に見える」

自分の長所を前面に出せば、「できる人に見える」のである。

1：欠点が目立たないようにするとは書かれていない。

2：自分の短所を理解してもらうとは書かれていない。

3：準備することは必要だが、欠点を補う必要があるとは書かれていない。

4：正解

練習10

人生の好調、不調について書かれた文章である。

比喩に注目する。

晴れの日＝好調の時、雨の日＝不調の時、傘＝不調の時のための用意

好調の時が続くと、不調の時のことを忘れがちである。

1：傘の話は比喩であり、この文章のテーマではない。

2：正解

3：傘の話は比喩であり、この文章のテーマではない。

4：好調なときも油断せず、用意をする必要がある。

練習11

走るスピードを上げることについて書かれた文章である。

比喩に注目する。

車＝走る人、エンジン＝生まれ持った質（体質）

タイヤを履き替えたり、運転テクニックを上達させたりすること＝さまざまな工夫

工夫をすることで、走るスピードを上げることができる。

1：車の性能は比喩で、この文章のテーマではない。

2：足の速さは生まれながらにしてかなりの部分まで決まっているが、スピードアップさせる方法があることを主張している。

3：車のスピードは比喩で、この文章のテーマではない。

4：正解

練習12

人生の喜びや悲しみについて書かれた文章である。

比喩に注目する。

鷹が山鳩を食べたという一つのことに対して、ある人は喜び、ある人は泣く＝ある一つの事実について、立場により見方が違う。

1：「住んでいるところ」は比喩で、この文章のテーマではない。

2：しかたがないとは書かれていない。この世で起きることをどう見るかが人により違うと書かれている。

3：起きたことをどうするかではなく、どう見るかについて書かれている。

4：正解

練習13

身の丈以上の生活を求めることに本当の幸福があるのかについて書かれた文章である。

疑問提示文に注目する。疑問提示文は「果たしてそこに本当の幸福があるのでしょうか。」である。

「そこ」＝今の日本人が身の丈（自分の財力・能力）以上の生活を求めていること

疑問提示文の答えは、「身の丈に合わない生活には、きっと大きな落とし穴がある。」である。

1：現代の日本人は幸福であるとは書かれていない。疑問に思っている。

2：少し前の日本人があまり幸福ではなかったとは書かれていない。幸せだったとある。

3：正解

4：筆者の子供の頃の話は、今の日本人との違いを対比するためだけに書かれている。

練習14

文章を書くことについて書かれた文章である。

疑問提示文に注目する。疑問提示文は「みなさんは、そもそも何のために文章を書くのでしょうか。」である。その答えは、「自分を表現し、他者と関わりながら生きていくため」、つまり、だれかにきちんと伝え、社会に働きかけて、ほかの人々と共に生きていくためである。

1：よく考えることが大切だとは書かれていない。

2：正解

3：教科書や参考書の知識と書くことが上手になることとどう関係するかは書かれていない。

4：書くことで成長するとは書かれていない。また、内面を見つめることだけでなく、社会に向けて行動することにもなると書かれている。

練習15

日本人の家族関係について書かれた文章である。

疑問提示文に注目する。疑問提示文は、「昔は強かった家族の人間関係が、だんだん薄く、冷たくなったのだ」「本当にそうなのだろうか。」である。その答えとして、「家族がいちばん大切だ」という考えの人が30年で倍になった、つまり、家族関係が冷たくなったのではないということが読み取れる。一方で、「職場の同僚、隣近所の人、親せきとのつきあいについて、相談したり助けあったりできる関係が望ましい」と答える人の割合は減少した。

1：正解

2：職場や地域、親せきとの関係は薄くなっている。

3：職場や地域、親せきとの関係は強まっていない。家族を大切に思う人の割合は増えていないとは書かれていない。

4：家族関係を重視する人の割合は低下しているのではなく、高まっている。

練習16

自分の感情を表に出すということについて書かれた文章である。

疑問提示文に注目する。疑問提示文は、「喜んでいるのか悲しんでいるのか、さっぱりわからない人の場合はどうだろうか。」で、その答えは、「感情をうまく表にあらわせない人は、対人関係が悪くなりやすい」である。

1：仲間はずれにされたりいじめられたりするのは、自分の感情をうまくあらわせない人であって、相手の感情がわからない人ではない。

2：正解

3：目の前にいる人が自分の気持ちに共感してくれないのではなく、目の前にいる人に自分の気持ちを出さないと、相手は共感できない。

4：感情を表に出さない人のほうが人間関係で問題が起きやすい。

練習17

美術展の鑑賞のしかたについて書かれた文章である。

主張表現に注目する。「まず入り口の略歴とか作品の解説を見る前に作品そのものを観てまわり、自分が好きな作品があったら解説を読み、最後に略歴などをみて理解を深めるという見方をしてみてはどうでしょうか」が筆者の主張の部分である。

1：作家の紹介や解説が、旅行の観光コースでただ見ていた絵の理解に役に立つとは書かれていない。

2：正解

3：作家の紹介や解説などを見る必要はないとは書かれていない。

4：先に作品を観るのは入り口の解説の前が混んでいるからではない。

練習18

速読法について書かれた文章である。

主張表現に注目する。「〜と思う」「〜べきだ」のような主張表現はないが、「あまり評価していません」「浅いものにならざるを得ません」は、速読法に対する筆者の評価が低いことを表している。(「評価する」は、その価値を高く認めるという意味で、「評価しない」はその価値が高くないという意味である。)

対比(読書と音楽)にも注目する。音楽があるテンポ(速度)で演奏されるのと同じように、読書も適切なスピードで行われるべきであると述べている。

1：音楽の演奏のスピードが言いたいことではなく、読書について述べている。

2：スピードが遅すぎるのではなく、速すぎると頭に入らない。

3：速読を音楽とともに行うことについて書かれているのではない。

4：正解

練習19

図書館のサービスについて書かれた文章である。

主張表現に注目する。主張表現は、「これ(＝ベストセラーだけを一館で十冊近くも買いこんだり、賞味期限が切れたら抽選で来館者にあげてしまったりすること)がみんなの税金で支える図書館の理想的サービスなのだろうか（反語）」である。「理想的サービスではない」ということが筆者の本当に言いたいことである。

1：予約待ちが長くなりすぎているという今の状況を批判しているのではなく、図書館の予約待ちが長くなりすぎないように本をたくさん買っていることを批判している。

2：図書館サービスに対し感謝していることは単なる前置きで、最も言いたいことではない。

3：正解

4：図書館に何冊もある本を抽選で来館者にあげることについていいサービスであるとは書かれていない。

練習20

働く理由について書かれた文章である。

主張表現に注目する。

第３段落が筆者の主張である。「もしお金があったら、人は本当に働くのをやめるでしょうか。」が疑問提示文になる。「案外、そうでもないのではないでしょうか（＝そうではないだろう）」、つまり、働くのをやめないだろうと主張している。

1：正解

2：「お金さえあれば働かなくていいような気がします」とあるが、その後に「しかし」に続けて、お金があっても、結局、働くのをやめないのではないかと書いている。

3：子供がいる人が子供のために働くのをやめないと主張しているのではない。人はお金があったとしても働くのをやめないだろうというのが筆者の最も言いたいことである。

4：夢の実現は、働く理由にはなるが、お金があれば夢の実現をしようとするとは書かれていない。

練習21

便利さを取り入れることについて書かれた文章である。

指示語を含む文の「しかし」とその前の「あたかも「よい面」しかないように思えます」に注目する。

①それ＝よい面

3：正解

練習22

芸術作品を鑑賞することについて書かれた文章である。

①そういう面＝あたかも自分が何かを表現したような気分になれる面。

3：正解

練習23

文句を言うことについて書かれた文章である。

①そんな損得勘定＝文句を言うことで、言った人自身が損をしてしまうかどうか考えること（言ったらもっと状況が悪くなる。職場で疎んじられて、クビを切られるかもしれない）

1：正解

練習24

大学で学ぶことについて書かれた文章である。

①そういうこと＝方法論（＝対象の取り扱い方）

大学で教えるべきなのは専門の知識ではなく対象の取り扱い方だというのが筆者の主張。

1：包丁の研ぎ方、選び方は方法論を説明するための比喩。

2：正解

3：女房はユーモアを込めて出した、対象の例。

4：専門の知識ではなく、対象の取り扱い方を教えるべき。

練習25

「それでいいよ」という言葉について書かれた文章である。

①なかなか気づかないの主語は「それでいいよ」と言われたほう＝いいかどうか聞いた人

2：正解

練習26

八つ子が生まれたことについて書かれた文章である。

「①ある」を含む文の前を見ると、「命はどう数えるのだろう」とあり、命について書かれている。

「命はどう数えるのだろう。[命は]草花にも①あるから[命の数え方は]人や体ではなく、個も違う。」

3：正解

練習27

数に強くなることについて書かれた文章である。

下線部の前を見ると、「数に強くなると、いろいろ面白くて、実になることが多くなる。」と書かれている。「たとえば」以下は面白くて実になることの例である。

[面白くて、実になることは]①もっとある。

4：正解

練習28

インタビューについて書かれた文章である。

下線部の「それ」が何を指すかを追っていく。それ＝切ったり、貼ったり、並べ替えたり、ときには修正したりという作業＝インタビュー内容に手を加える作業

1：正解

2：相手の話を忠実に再現しようとすることではなく、「加工」が行われる。

3：聞かなかったことも新たに加えられているとは書かれていない。

4：さまざまな視点から相手をとらえようとしているとは書かれていない。

練習29

「行間を読む」ことについて書かれた文章である。

下線部の文を見てから、後の文を見る。第３段落「けれど」の後が「①行間を読む」の説明。手紙に書いてある文字どおりのことをする人は、行間を読んでいない。

1：正解

2：がんばれと言うのは文字どおりに行動していて、行間を読んでいない人。

3：がんばれという内容の応援の返事を書くのは、行間を読んでいない人。

4：手紙を書いた人が手伝いに来てほしいと頼んでいる。

練習30

いいと思う写真について書かれた文章である。

下線部の文を見る。「いいな」と思う写真について書かれているのは、第３段落である。筆者が「いいな」と思う写真は、「そこに写っている世界に入ってみたくなるような」、「われを忘れて写真と話し込んでいるような、画面の中からいくつもの言葉が聞こえてくるような写真」である。

1：写した人と見ている人がいっしょに話をしているのではない。

2：写した人と見ている人の気持ちがぴったり一つに重なるとは書かれていない。

3：見る人の気持ちが知らず知らずのうちに楽しくなってくるとは書かれていない。

4：正解

練習31

地域の図書館について書かれた文章である。

下線部の文を見る。肩肘張った＝何かをしようと強く思って、力が入った状態

下線部の文の前後を見ると、後に、「散歩に行くのでなく、勉強や調査に出かけていくということになりがちである。」と書かれている。つまり、勉強や調査に出かけていくというはっきりした目的のことである。

1：散歩の途中に立ち寄って新聞や本を拾い読みするのは、図書館の気軽な利用のしかたであって、肩肘張った目的ではない。

2：図書館に親しみを持ち、読書生活が日常化するよう努めるのは、図書館の運営方針である。

3：「地域の公共図書館設置数はまだまだ十分ではない」とあるが、それを増やそうとするとは書かれていない。

4：正解

練習32

ペットと人との関係について書かれた文章である。

下線部の文を見る。「動物たちは生きるために、いくつかのことを人に頼っているが、①救われているのは決して彼らだけではない。」の「彼ら」とは動物たちを指している。動物たちだけでなく、人も救われている。

1：正解

2：犬や猫が人間や動物を救うような本当の癒しの力を持つようになったのではなく、人間が犬や猫に癒しを求めるようになった。

3：ペットを飼っている人の周りにいる人々のことは書かれていない。

4：人間や犬や猫が自由になりたいと思っているとは書かれていない。

練習33

今の子どもが夢や希望を持ちにくいことについて書かれた文章である。

下線部の文を見て、前の文から理由を探す。理由を示す表現は本文にはない。対比（昔と今）に注目する。昔は、子どもは希望を持っていた。今、「情報化が進んだ社会の若者は、かつての若者以上に、希望の実現が困難であることを直観的に知っている」。つまり情報化が進んだこと（＝情報が増えたこと）が原因である。

1：正解

2：今の子どもは、素直に希望を語らないとは書かれていない。

3：特別な才能を持つ子どもが減ったとは書かれていない。

4：選択の可能性が増えると、希望を持ちにくくなるとは書かれていない。

練習34

転職に向いているかどうかをチェックする方法について書かれた文章である。

下線部の文を見る。理由を示す表現は本文にはない。言い換えに注目する。

新しい空間＝スポーツジムや習い事などの新しい環境

身を投じる＝始める。

一人でスポーツジムに行ったり、習い事を始めてみたりして、新しい環境で居心地の悪い思いをする。転職することも一人で新しい環境に行くことである。だから、「事前に習い事などを一人で始めてみると、自分が新しい環境(＝新しい職場)のもとでうまく対応できるかどうかがわかる」のである。

1：正解

2：「新しい空間」は仕事の内容ではなく、職場の環境を表す。

3：今の仕事ではなく、新しい環境でストレスを感じるかどうかを試してみる。

4：今の職場ではなく、新しい職場に行っても対応できるかどうかがわかる。

練習35

声が伝えるものについて書かれた文章である。

文章全体から理由を示す表現を探す。第2段落に「私の声にあらわれた態度に、許しがたいものを感じたのでしょう。」「私の声の出し方と、その声から伝わったものが、父を不快にさせたのです。」の「のでしょう」「のです」は前の文「父からひどく怒られました。」の理由を表す。

つまり、筆者の声にあらわれた態度、声の出し方、声から伝わったものが、父を不快にさせたのである。

1：父が怒った理由は、映画が良かったかどうかについての意見ではなく、声に表れた不誠実な態度である。

2：声が小さくて、父にははっきり聞こえなかったとは書かれていない。

3：父が怒った理由は、すぐに答えなかったことではなく、声にあらわれた態度である。

4：正解

練習36

仕事と学校の勉強との関係について書かれた文章である。

下線部の文を見て、前後の文から理由を探す。理由を示す表現は本文にはない。対比(仕事と勉強)に注目する。仕事では相手があり、手順があり、途中で評価があり、最後に報酬や感謝を受け取る。勉強でも、先生などの相手があり、勉強の手順があり、先生に途中経過をチェックしてもらうという評価があり、最後に成績をもらう。

このように、仕事と勉強は流れがほとんど同じである。

1：仕事では知識だけでなく、手順を身につけていることも重要である。

2：正解

3：努力ではなく、流れが同じであることが重要である。

4：学校の成績が就職するときチェックされるかどうかは書かれていない。

練習37

差別について書かれた文章である。

文章全体から理由を示す表現を探す。理由を示す表現は本文にはない。対比（差別されるほうが劣っているというかんがえかたと、差別するほうに劣ったところがあるというかんがえかた）に注目する。筆者は、差別をするほうに劣等感があり、それを忘れるために、強いものの仲間に入って差別をすると述べている。

1：つくり話をかんがえ出すのは、差別するほうである。

2：相手が劣っているわけではない。差別するほうに劣ったところがある。

3：みんなではなく、差別するほうだけがかんがえている。

4：正解

練習38

入れ歯が合う人と合わない人の違いについて書かれた文章である。

文章全体から理由を示す表現を探す。「別に口蓋の形状に違いがあるからではないんです。マインドセットの問題なんです。」の「からではないんです」「んです」が入れ歯が合う人の理由を表す。「マインドセット」という言葉がわからなくても、その先の対比（入れ歯が合わない人と合う人）に注目する。入れ歯が合わない人は「自分のもともとの歯があったときの感覚が「自然」で、それと違うのは全部「不自然」だから厭だと思っている人」で、合う人は、「歯が抜けちゃった以上、歯があったときのことは忘れて、とりあえずご飯を食べられれば」違和感があってもいい、「自分でなんとかしますから」という人である。このことから、自分でなんとか工夫することが理由である。

1：入れ歯を入れる人の口の中の形に違いがあるからではないと書かれている。

2：入れ歯を自分の口に合う形に直すのではなく、自分の口の中の筋肉や関節の使い方を工夫する。

3：正解

4：ぴったり合う入れ歯を作れる歯科医に出会うことができたとは書かれていない。

練習39

運動を続けるにはどうすればいいかについて書かれた文章である。

下線部がないので、問いと文章全体を読む。運動を続けられる仕組みは、意志の力に頼らないことである。本文中の例を見ると、「家の場所を最寄りの駅から歩いて15分かかるところに」するなど、つまり、そうしなければならない状況を作ることである。

1：毎朝声に出して言うのは、意志の力に頼っていることであり、それは否定されている。

2：計画ではなく、やらなければならない状況を作る。

3：運動した内容と時間を手帳に書くことは、自分の意志の力にかかっているので、仕組みにはなっていない。

4：正解

練習40

「ことほぐ」という言葉について書かれた文章である。

下線部がないので、問いと文章全体を読む。「ことほぐ」という言葉の正しい使い方を本文で探す。「ことほぐ」とは、言葉を告げて（相手に言葉を言って）祝うこと。言葉を相手に告げていなければ、「ことほぐ」とは言えない。

1：正解
2：一人で酒を飲むという行動には、相手がいないので、言葉を告げられない。
3：新しい服を着ることは、言葉を相手に告げる行動ではない。
4：花を飾ることは、言葉を相手に告げる行動ではない。

練習41

友達について書かれた文章である。

下線部の文を見る。

「①そうした発想から解放されなければならない」の「そうした発想」とは、学校では「みんな仲良く」して、「いつも心が触れ合って、みんなで一つだ」という考え方（友だち幻想）を指す。この考え方に縛られない考え方の例を選ぶ。

1：クラスの仲間同士対立が起きないようにするのは、みんなが一つになるための行動である。
2：一人で行動している子供を仲間に入れるようにするのは、みんなが一つになるための行動である。
3：正解
4：掃除など自分が任された仕事をするのはクラスのルールであり、ルールのことは書かれていない。

練習42

「つきましては／それに伴って」のない文では、「お願いします」「お知らせします」「ください」などの前を見る。

「以下ご注文内容をご確認ください。併せて発送予定日のご確認もお願いいたします。」

1：正解
2：発送はまだ完了していない。
3：代金を支払ってほしいとは書かれていない。
4：送り状番号は発送が完了してから通知される。

練習43

「さて」と「つきましては」の後を見る。

「尚」の後には補足説明がある。

「さて、来る３月15日、渋谷ハウス共用部分電気設備の定期点検を行います…」

(共用部分＝皆で使う場所。入口やエレベーターなど)

「つきましては、下記の時間、共用部分が停電となり、エレベーターも停止いたします。」

「尚、この点検による各戸の停電はございません。」(各戸＝それぞれの部屋)

１：渋谷ハウス全体が停電するのではない。

２：共用部分は停電する。

3：正解

４：共用部分は停電するが、自分の住んでいる部屋は停電しない。

練習44

「さて」の後を見る。

「さて、ご注文いただきました…が、…品切れの状態です。…申し訳ございません。」

１：新商品については何も書かれていない。

2：正解

３：注文をもらったことが主要なお知らせではない。

４：注文が取り消されたのではない。

練習45

太い字・大きい字に注目する。

「３／15」

「半額金券セール」

「＊お買い上げいただいた金額の半分の額の金券を差し上げます。次回以降お使いになれます。」

小さい字には大事な注意が書いてある。

「尚、金券の有効期限は４月30日です。」

１：パンの値段が半分になるのではない。

２：パンの値段が半分になるのではない。４月30日は金券の有効期限。

３：金券の有効期限は４月30日である。

4：正解

練習46

選択肢にあるキーワード「予約」を本文中から探す。

「事前のご予約が必要です。」

「ステップ1　まずはご予約　前日までにお電話かご来館で。」

「期間」を見る。太い字、大きい字に注目する。

「期間：10月11日～20日」

1：正解

2：お試し体験期間は11日からである。10日からは始められない。

3：予約は前日までにしなければならない。

4：15日から始めると、20日までに7日間体験できない。

練習47

選択肢のキーワードを探す　→　いつまでに「払う」？　どこで「払う」？

「下記利用停止予定日前日までに最寄りのコンビニエンスストアでお支払いいただきますよう、お願いいたします。」

「利用停止予定日」を見る。　＝3月31日

1：電話会社で支払うのではない。

2：正解

3：31日ではない。電話会社で支払うのではない。

4：31日ではない。

練習48

問いのキーワードを探す　→　「日曜日」「午後3時」「子供」が病気の場合、どこに相談できる？

「「新型インフルエンザ相談センター」は3月31日で終了しました。」

「…新型インフルエンザの相談は、最寄りの保健所（月～金、9時～17時、祝除く）で行っています。」

「医療機関の案内は、医療相談センター「ひまわり」☎03－329－6521（24時間）で、…でお受けします。」

1：「新型インフルエンザ相談センター」は3月31日で終了した。

2：最寄りの保健所は日曜日は開いていない。

3：正解

4：福祉保健局感染症対策課はこのお知らせについての問い合わせ場所である。

練習49

「実施方法」を見る。

「1．非常ベルが鳴ったら、階段で建物外に出ること

エレベーターは使用しないこと
2．退避場所（建物西側駐車場）で各所属部長のもとに集まること
部長は人数を確認し、防災訓練責任者に報告すること」

1：エレベーターを使ってはいけない。部長の指示を待つとは書かれていない。

2：10時になったら階段を降りるのではない。

3：正解

4：人数を数えて防災訓練責任者に報告するのは、部長である。

練習50

「●前日夜」「●当日朝」を見る。

「●前日夜

のりなどの海藻、きのこ類など消化の悪いもの、…は控えてください。

アルコールは飲まないでください。

水、お茶などの水分は取っても構いません。」

「●当日朝

朝から何も食べずに病院へおいでください。

水、お茶などの水分は取っても構いません。」

1：前日の夜、お酒を飲んではいけない。

2：前日の夜、海藻を食べてはいけない。

3：正解

4：当日の朝、何も食べてはいけない。

練習51

「○返品・交換方法」を見る。

「以下の「返品・交換シート」にご記入の上、商品とともにご返送ください。

＊商品は宅配便（着払い）でご返送ください。」

「・お支払い済みの場合」を見る。

「・お支払い済みの場合

返品をご希望のお客様は、返金先をご記入ください。」

1：商品と「返品・交換シート」は一緒に送る。宅配便は着払いで送る。

2：商品と「返品・交換シート」は一緒に送る。「返品・交換シート」に返品理由も書く。

3：「返品・交換シート」に銀行口座の情報を書く。着払いで送る。

4：正解

練習52

問いにある「12月12日」「現代美術」「若い日本人画家」というキーワードで探す。

「青田アート」

「今年、最も活躍した10人の若手による現代美術を紹介します。海外でも評価されている新進気鋭の日本人画家たちです。」

「12月20日まで」

1：正解

2：12月10日までなので、12日はやっていない。

3：江戸時代の絵画で、現代美術ではない。

4：彫刻であり、絵画ではない。

練習53

家族や親しい人に対する態度について書かれた文章である。

問1

下線部の前後を見ると、「そんな自分の行動」とは、投稿者の女性の行動で、自分の子育てについて反省をしている。①振り返っていたのは投稿者の女性である。

2：正解

問2

下線部の前の段落で、親が子どもに対して厳しい態度をとり、時には子どもを追いつめてしまうことが書かれており、筆者もその内容に共感している。しかし、一方で、[親は][子どもに]食べて寝て遊んでばかりいられては困るのである。

1：母親が子どもを叱らないとは書かれていない。

2：母親が家事をしないとは書かれていない。

3：正解

4：体に悪いことではなく、「自立した大人」になれるかが心配である。

問3

段落ごとに内容をつかむ。

第1段落：ある女性が猫を飼った経験から、子どもに厳しい態度をとりすぎていたことを反省したという投稿を紹介している。

第2段落：筆者がそれを読んで考えたことである。相手に対して、「本人のため」と思ってとる厳しい態度が、相手を必要以上に追いつめ、最低限の「自信」まで奪ってしまうというのが重要な点である。

第３段落：遊んでばかりでも困るが、元気でいてくれればそれでいい。

１：自分の将来のために相手に期待をするのではない。

２：子どもにも優しく接するとは書かれていない。

３：子どもに厳しく接するのがりっぱだとは書かれていない。

４：正解

練習54

若者が政治的な活動をする理由について書かれた文章である。

問１

下線部の前を見ると、対比（「地域共同体の力が強かった時代＝昔」と「今」）がある。

昔は地域の人との関わりを強制された→自分からは関わりを求めなかった

今は強制されない→自分から求める

１：若者の答えに驚くかどうかについてではない。

２：正解

３：関わる必要があるとは書かれていない。

４：政治的な活動がしやすくなったとは書かれていない。

問２

下線部の文を見ると、「…ボランティア活動をする中で政治に出会い…」とある。「その活動」とは政治活動を指す。

１：正解

２：政治家としてではない。

３：政治家として活動するのではない。また、「その活動」とはボランティア活動ではない。

４：「その活動」とはボランティア活動ではなく、好きになったとも書かれてはいない。

問３

疑問提示文「彼らはどんな動機で政治活動を始めたのだろうか」の答えが筆者の主張である。段落ごとの内容をつかむ。

第１～３段落：ほかの人との関わりを求めることや、趣味やボランティア活動の延長から政治活動を始めた人が多い。

第４段落：　就職先として政治活動を選んだというケースもある。

１：筆者は若者の政治活動を趣味の延長に過ぎないと低く見ているわけではない。

２：政治活動で自己実現したほうがいいとは書かれていない。

３：政治活動に目を向けるべきだとは書かれていない。

4：正解（生きがいや就職先を求めて＝動機）

練習55

熱伝導率について書かれた文章である。

問1

下線部の文の省略部分を探す。

「［Aを］①あまり意識していないだけなのです。」→［Aを］が省略されている。

「A」＝「同じ温度なのに暖かく感じたり、すごく冷たく感じたりすること」である。

1：何度なのかを意識するとは書かれていない。

2：同じ温度という条件なので、温度が変化するのではない。

3：正解

4：冷たく感じるだけではない。

問2

「②これに比べて空気というのはなかなか熱が伝わりにくいのです。」

前のほうを見て、空気より熱が伝わりやすいものを探す。

2：正解（水に比べて空気というのはなかなか熱が伝わりにくい）

問3

「③20℃の空気の中にいればそれほど寒くも暖かくも感じない、」

前の文を見て理由の表現「ですから」に注目する。

「空気というのはなかなか熱が伝わりにくいのです。…たとえば…。ですから…③20℃の空気の中にいればそれほど寒くも暖かくも感じない、ちょうどいい温度なのです。」

1：住宅の話は、単なる例である。

2：服の重ね着は、単なる例である。

3：空気は熱が伝わりにくいと書かれている。

4：正解

練習56

大学進学について書かれた文章である。

問1

下線部の文の前後を見て「これ」の指しているものを探す。

前に、大学で「何を学ぶのか、そこでどんなことを身につけるのかという意識がかなり希薄…大学を出てから…大学時代にもっと勉強しておけばよかったと後悔…」と書かれている。つまり、学べる在学中には学ばず、卒業後に気づくのがもったいないということである。

1：正解

2：大学の勉強が合わないとは書かれていない。

3：卒業生が大学に入り直すことは書かれていない。

4：在学中の学生が、後悔している卒業生の姿を見ることは書かれていない。

問2

下線部の前を見る。「君たち教師の責任じゃないか、というお叱り」に対しての反省なので、反省するのは「大学の教師」である。

2：正解

問3

問いと文章全体を見る。

問いの大学進学についての提案とは、進学のプロセスを変えて、高校から直接大学へ進学するのを禁止し、いったん社会に出て働くという提案（第２段落）である。

理由を探す。

大学では学ぶ意識が薄く、大学を出てから後悔する人が多い（第３段落）、「大学生がなかなかやる気を持てない」（第４段落）という現状がある。それを変えるために、「実社会で実際の仕事などを経験」（第５段落）してから進学するというプロセスを提案している。

1：大学進学者の数については書かれていない。

2：大学の授業の内容については書かれていない。

3：正解

4：大学に入ってからではなく「大学を出てから」後悔すると書かれている。

練習57

物を買うことについて書かれた文章である。

問1

下線部の前を見ると、「必要のないものにお金を遣うなんて…が、それでも人間の精神のバランスをとるために費用をかけたと思えば、①それはそれでいい」と書かれている。

「それはそれで」の「それは」が指すのは、「必要のないものにお金を遣う」ことである。

1：必要なものを買うのではない。

2：いやなことがあったために、買い物をするのはいいと書いてあるが、いやなこと自体があってもいいわけではない。

3：むしゃくしゃした気分を抑えなくてもいいとは書かれていない。

4：正解

問2

指示語「②それ」の前を見る。

「②それ」＝「お金のことで苦労し、血と汗を流している（＝お金がない）人ほど、どういうものか無駄遣いすることがある」

1：正解

問3

段落ごとに内容をつかむ。「～気がする」「～んじゃないでしょうか」などの主張表現に注目する。

第1～2段落：必要以外の物を買うことは、一般にはよく思われていないが、精神のバランスをとるためと思えば、構わないのではないか。

第3段落：　人間はずっとお金に苦労し、ふり回されている。

第4段落：　無駄遣いはお金に対する人間性のささやかな反抗と言える。

1：バランスをとったほうがいいとは書かれていない。

2：遣いすぎに注意すべきだとは書かれていない。

3：正解（お金より自分のほうが主役だ＝お金に対する反抗）

4：買い物にもっとエネルギーを注ぎたいとは書かれていない。

練習58

ウォーキートーキー（＝携帯用無線電話機）と携帯電話について書かれた文章である。

問1

下線部の文を見る。

「①それでも近所で遊ぶには十分だった。」

下線部の前を見る。ウォーキートーキーは「子供用に安っぽくできていて、通じる範囲はせいぜい百五十メーター」であるが、それでもいいということである。

1：ウォーキートーキーがだれのものかは近所で遊ぶことと関係がない。

2：ウォーキートーキーの形は近所で遊ぶことと関係がない。

3：ウォーキートーキーで会話をして遊ぶと書かれている。

4：正解（機能が良くない＝遠くにいる人と話せない）

問2

下線部の文を見る。

「②「いま電車」という言葉を何度耳にしたことか。」

下線部の前を見る。

「東京の街を歩いていると、携帯電話の会話の断片が…聞こえてくる。」その一つが、車内で聞く「いま電車」という言葉である。

「車内（＝電車の中）」で「いま電車（＝現在位置の確認）」と言うのを耳にした（＝聞いた）のは、筆者である。

1：正解

2：筆者にかかってきた電話ではない。

3：筆者が相手に「いま電車（の中ですか）」と質問しているのではない。

4：ダッグと話したのは子供の頃である。

問3

段落ごとに内容をつかむ。

第1～2段落：子供時代にウォーキートーキーで話をした。

第3段落：　ウォーキートーキーで会話できるのは衝撃的だったが、結局お互いの顔を見ながらしゃべったほうが楽しかった。

第4段落：　今、東京の街でも携帯電話の会話が聞こえるが、現在位置の確認が多い。

第5～6段落：筆者の主張。携帯電話には、ウォーキートーキーで子供の頃やったような現在位置の確認以上の意味はないように見える。携帯電話での他人の会話を聞かされるのも不愉快だ。だから、ケータイは持たない。

1：ウォーキートーキーではなく、携帯電話についての話である。

2：使われ方が全く違うとは書かれていない。

3：ウォーキートーキーさえあればとは書かれていない。

4：正解

練習59

親子の「対話」のための準備について書かれた文章である。

問1

「心の準備」とは、「徹底して相手の話を聴こうと覚悟すること」であるが、下線部の後に「実は、これ（＝心の準備）ができていない人が多い」とある。さらに次の段落に、多くの親は、「「対話」すると言いながら相互的な話し合いにならず、一方的に言い立てる場合が多い」とある。これが、心の準備をしないで対話をした場合の結果である。

1：子どもに落ち着きがなく、家族を避けるのは、話し合いをする理由で、結果ではない。

2：正解

3：心の準備をしないせいで、話し合いが長引くとは書かれていない。

4：親が子どもの将来を一方的に決めようとしているとは書かれていない。

問2

下線部の前を見ると、「どんなことを話しても大丈夫というリラックスした心のあり方を大人が持っていないと、口で言うだけでは意味がない」と書かれている。下線部はこの部分の言い換えである。

1：正解

2：子どもに何でも話させるような対話ではなく、子どもが話せなくなるような対話である。

3：相手が自由に言ったことに反対するとは書かれていない。

4：子どもを安心させるのではなく、緊張させるような対話を指す。

問3

段落ごとに内容をつかむ。「私は思っている」「必要である」「～のは駄目である」などの主張表現に注目する。

第1段落：　何ごとにも準備が必要である。
第2～3段落：準備なしに大切な対話に臨み、失敗することがある。
第4段落：　大切な話し合いの結果には、子どもや家族の将来がかかっている。
第5段落：　対話のために親は体調を整えることと、心の準備をすることが必要である。
第6～7段落：心の準備とは親が徹底して相手の話を聴こうと覚悟することだが、難しい。
第8～9段落：大人は集中するとともにリラックスした心のあり方でなければならない。
第10段落：　一生の間に何度か家族の間にこのような対話が必要である。

1：親が自分の気持ちを十分に話すための準備ではない。子どもの話を聴こうとする準備をしなければならない。

2：重要な対話をするべきだということではなく、親が徹底して子どもの話を聴くべきだということが、筆者の最も言いたいことである。

3：親と子のそれぞれが心の準備をするのではなく、親が子の話を聴こうと心の準備をするべきだと書かれている。

4：正解

練習60

デパートの大食堂について書かれた文章である。

問1

下線部の文の前を見る。

昔の大食堂では、「ひと家族の注文したものが一度に出てくることはまずない（＝ほとんどない）。」

しかし、今日では一度に出てこないことのほうがまれだ（＝非常に少ない）と書かれている。つまり、今日のサービスには注文したものが一度に出てくることも含まれる。

1：正解

問２

問いと本文全体を見る。

「大食堂が消えた要因として、…消費者が質のよいサービスをもとめるようになったから」（第６段落）とある。大食堂のサービスの問題点を見る（第１～２、４～５段落）。

1：正解

2：大食堂でも、子どもと高齢者がいる家族づれが好きなものを選べた。

3：大食堂はセルフサービスで食べるシステムではない。

4：見本があるので、大食堂でもどのような料理か目で見て確認してから注文できた。

問３

段落ごとに内容をつかむ。

第１段落：　デパートの大食堂はほとんどなくなったが、理由はサービスの質である。

第２～５段落：大食堂のサービスの悪さの具体例。

第６段落：　第１段落の繰り返し。

第７～８段落：まともなサービスのない大食堂をなつかしむ気持ちにはならない。

1：筆者はデパートの大食堂で食事することはごめんこうむる（＝嫌だと断る）と書いている。

2：正解

3：騒がしい場所より静かな場所でゆっくり食べたいとは書かれていない。

4：ファミリーレストランのほうがサービスがいいと書かれているが、それが大食堂のおかげとは書かれていない。

練習61

バイオリンの演奏家である筆者がホテルで体験したことについて書いた文章である。

問１

バイオリンのBGMを聞いて「私のCDの音だ」と気づき（第２段落）、「はじめは自分の演奏に似ているなあと思いつつ…」（第６段落）とあることから、筆者の職業はバイオリンの演奏家だとわかる。

1：正解

問２

どのようなサービスか、下線部の前を見る。ホテルの従業員は、サービスのつもりで筆者の過去の

CDをBGMとして流し、笑顔を見せている。しかし、筆者自身は昔の自分のCDを聞かされて「稚拙な過去の自分を突き付けられたような敗北感」を味わっているのである。

1：ホテルの従業員の笑顔は好意の笑顔で、筆者を笑うものではない。

2：正解

3：実際に言ったのではなく、まるでそう言っているような笑顔を見せただけである。

4：私も笑っていなくてはいけないとは書かれていない。

問3

段落ごとに内容をつかむ。

第1～13段落：筆者は過去のCDをBGMとして流され、無理矢理聞かされるという経験をし、リラックスできなかった。

第14段落：　筆者は「過剰なサービスは客を苦しめる。良いホテルは適度な距離感を心得ている。その距離感こそが良い人間関係を作り出す。」と述べている。

「適度な距離感が良い人間関係を作りだす」というのが筆者の主張。

1：泊まる場所について述べたいわけではない。

2：従業員が満面の笑みを浮かべ、いい音楽が聞こえてくるのが筆者にとって良いホテルだとは書かれていない。過剰なサービスである。

3：過去の自分の演奏を聞いて自分の進歩に気づいたのではなく、リラックスできなかったと書かれている。

4：正解

練習62

A　朝読についての新聞記事

B　朝読を実施している学校からの報告

問1

AとBの情報を統合する問題。朝読の説明に注目して本文を読む。朝読とは何かについての説明とそれ以外の説明を区別する。

1：正解

2：2002年に始まったのは、ある学校での朝読である。

3：読書週間だけの活動ではない。

4：Bはどのような姿勢で読んでも構わないと言っているが、すすめているわけではない。

問2

AとBの情報を比較する問題。調査結果を報告しているか、朝読を実施した効果と感想を述べているかを見る。Aは数字や割合を出していることから調査結果を報告した文章であるとわかる。

Bは第2段落で効果を述べている。「考えています」などと書かれていることから、感想を述べた文章であることがわかる。

3：正解

練習63

AとBはほめることについて書かれた文章。

問1

AとBの情報を比較する問題。選択肢を読む。AとBが「ほめる」ことをすすめているか、ほめることで相手を変えなければならないと考えているかに注目する。

1：正解

2：Bには、ほめることで相手を変えなければならないとは書かれていない。

3：Aには、ほめることで相手を変えなければならないとは書かれていない。ほめることは相手を変えるほどの力を持っていると書かれている。

4：AにもBにもほめることで相手を変えなければならないとは書かれていない。

問2

AとBの情報を比較する問題。「ほめること」が「ほめる人」への効果か、「ほめられる人」への効果かを見る。

A　ほめ言葉は相手(ほめられる人)の行動を変えるほど効果的であると述べている。つまり、ほめられる人への効果について述べられている。

B　ほめ言葉はほめる人自身の人生を豊かにすると述べている。つまり、ほめる人への効果について述べられている。

1：Aは「ほめる人」への効果が書かれていない。Bは「ほめられる人」への効果が書かれていない。

2：正解

3：Aは「ほめる人」への効果が書かれていない。

4：Bは「ほめられる人」への効果が書かれていない。

練習64

AとBとCはすべて、山田さんからマリアさんへのメールの文章である。

問1

AとBとCから山田さんの最近の様子が書かれている部分を探す。

A「僕もこの4月から、新しい部署に配属されました。」

1：新しい会社に移ったのではない。

2：今までと同じ仕事ではない。

3：正解

4：今の仕事を辞めようとは思っていない。

問2

AとBとCの内容を統合して、最終的に曜日、場所、だれがレストランを予約するかを読み取る。

B 「では、木曜日にしましょう。以前…行ったレストラン「アローロ」でいいですか。…予約しておきます。」

C 「予約がいっぱいで取れませんでした。…どこかいいレストランを予約してもらってもいいですか。」

1：アローロに行くのではない。

2：金曜日ではない。

3：金曜日ではない。予約するのは山田さんではない。

4：正解

練習65

Aはクォンさんから田村さんへのメール。

Bは田村さんの上司からクォンさんへのメール。

問1

AとBの情報を読み取る問題

1：A　正しい。

　B　手紙ではなく、お詫びに伺うと言っている。

2：A　理由は聞いていない。

　B　理由を知らせている。

3：正解

4：A　納期の連絡がないのではなく、納期を過ぎても届いていないと言っている。

　B　正しい。

問2

AとBから納期が遅れた理由を読み取る。

B「原因を確認いたしましたところ、運送会社への納期の連絡が不十分だったということがわかりました。私どもの不手際で、…」

1：イダ機械工業が運送会社に納期を伝えたのではない。

2：正解

3：運送会社がEW2000-Bを届け忘れたとは書かれていない。

4：トーホー部品工業とイダ機械工業の間の連絡が間違ったとは書かれていない。

練習66

「やまゆりネット」という施設予約システムの利用案内

問1

問い：市内に住んではいないが勤めている人。登録に必要なものは？

「利用者登録について」を見る。

「やまゆり市に住んではいない（＝在住ではない）」「市内の会社に勤めている（＝在勤）」を探す。

「●ご本人の…住所・氏名・生年月日が確認できるものをお持ちください。やまゆり市在住である必要はありません。」

「●やまゆり市在勤・在学の方は、社員証・在勤証明書・学生証など通勤・通学先の確認ができるものもお持ちください。やまゆり市民料金で施設がご利用いただけます。（名刺は通勤先を確認するものとして使用できません。）」

1：住所・氏名・生年月日が確認できるものだけではやまゆり市民と同じ料金では利用できない。

2：社員証か在勤証明書だけでは登録ができない。

3：名刺は通勤先を確認するものにはならない。

4：正解

問2

問い：2009年6月1日に利用登録をした。登録料なしで更新するには？

選択肢：5月31日まで？　6月になってから？　窓口で？　インターネットで？

「《注意》(4)」を見る。小さい字に注意する。

「受付窓口で更新の手続きをしてください。」

「＊有効期限（＝2012年5月31日）が過ぎますと、再登録に500円」

1：インターネットでは更新できない。

2：6月になってからでは、登録料がかかる。インターネットでは更新できない。

3：正解

4：6月になってからでは、登録料がかかる。

練習67

「苗木・植樹」プレゼントのお知らせ

問1

問い：応募方法は？

「応募方法」を見る。

1：応募はがきをホームページからダウンロードするとは書かれていない。

2：正解

3：応募するとき苗木の種類を書くとは書かれていない。

4：エコ太陽の問い合わせ先にメールするのではない。

問2

問い：プレゼントに当たった。何ができる？

「「苗木・植樹」当選券の使い方」を見る。小さい字に注目する。

「(1) お客様自身で植樹なさる場合　木の種類を以下の４つの中から１つ選んで、当選券にご記入の上、弊社までご返送ください。ご希望の苗木をお客様の指定された日、指定された場所にお届けいたします。」

「(2) 市民団体の植樹活動への寄附　…＊植樹する場所、木の種類は「植樹会」で決めさせていただきます」

1：正解

2：木は２種類選べない。

3：植樹会に寄附する場合、木を植える場所は選べない。

4：植樹会に寄附する場合、木の種類は選べない。

練習68

アサガオの育て方が書いてある説明書である。

問1

問い：正しい水やりは？

選択肢：種まき、つぼみ、花の段階での水やりのちがいは？　毎日？　土が乾いてから？

キーワード「水やり」「水」を本文から探す。

「種まき～芽が出るまで…毎日水やりをします。」

「つぼみがつくまでは、土が乾いてから、水をたっぷりやるようにします。」

「つぼみがふくらんできたら、毎日水やりをしましょう。」

「花が咲いている間は、水を毎日与えます。」

1：つぼみがつくまでは土が乾いてから水をやる。花が咲いてからは水を毎日やる。

2：種をまいた後は、毎日水をやる。つぼみがつくまでは土が乾いてから水をたっぷりやる。

3：正解

4：種をまいた後は、毎日水をやる。つぼみがつくまでは土が乾いてから水をやればよいが、つぼみがふくらんでからは毎日水をやる。

問2

問い：アサガオの芽が出た後の植えかえ方は？

選択肢：肥料、土を入れる順番は？　根に付いた土を落とす？　落とさない？

「芽が出たら」を見る。

順番に注目する。太い字に注目する。

「新しい植木鉢の底に肥料を入れておきます。

土を少し入れたところで、アサガオを移します。

アサガオを鉢から抜くとき、根に付いた土を落とさないように注意しましょう。」

1：正解

2：肥料を入れてから土を入れる。根に付いた土は落とさない。

3：肥料を入れてから土を入れて植える。

4：根に付いた土は落とさない。

練習69

東京地区の大学のオープンキャンパスの日程表

問1

問い：経済学部のオープンキャンパスがいちばん多く開かれている日はいつ？

選択肢、7 /31(土)、8 /21 (土)、8 /22 (日)、8 /28 (土) の中から問いの条件に合うもの探す。

1：みやこ経済大学だけ

2：正解(みやこ経済大学　一本木大学　白山大学)

3：ひがし大学だけ

4：みやこ経済大学　一本木大学

問2

問い：8月20日以降に工学部のオープンキャンパスに行く。したほうがいいことは？

選択肢、ひがし大学、にしき大学、一本木大学、早田大学の中から問いの条件に合うものを探す。

1：ひがし大学の入試問題解説が実施される日程①と②は、すでに過ぎている。

2：にしき大学に工学部はない。

3：正解

4：早田大学の入試説明会は予約不要。

練習70

学生寮の一覧＝学生寮を探している人のための情報

問1

問い：経済学部１年の男子学生が４年間住んでいられる寮はいくつ？

「在寮年限（＝何年間寮にいられるか）」を見る。

４年はかえで寮、清風寮、大空寮、青梅寮

「入寮対象学生」を見る。

学部１年男子は大空寮

１：正解

問2

問い：医学部の男子学生が、３年生～６年生までいられる一人部屋で、いちばん安いのは？

選択肢、あさひ寮、白波寮、清風寮、大空寮の中から問いの条件に合うものを探す。

「入寮対象学生」「在寮年限」「部屋・設備」「料金」を見る。

１：１・２年生しか入れない。２年間しかいられない。

２：正解

３：いちばん安い寮ではない。

４：一人部屋ではない。

模擬試験

問題1

1

仕事人間について書かれた文章である。

主張表現に注目する。主張表現は、「それはそれで素晴らしいことではないだろうか」。

「それ」＝その人が会社とともに生きたいと思うこと

船長はその人、船は会社の比喩。つまり、筆者は、人生を会社にささげるのも素晴らしい、幸せだと言っている。

１：仕事しかできない人生は困るというのは筆者の意見ではない。

２：自分の時間を会社のために使うのが、最も幸せとは書かれていない。

３：船長が船とともに生きるように、会社とともに生きるのは素晴らしいと書いてあり、二つを比較していない。

４：正解

問題2

2

問題を抱えた状態について書かれた文章である。

「問題を抱えた状態」とはどんなことか、「なにかものを作っているとき」の例を通して述べている。
人は問題を抱えた状態を苦しいと思うだけではなく、楽しんでいる。

1：正解

2：問題を自分の力で変えたり、改良したりして夢中になっている状態を楽しんでいるのであって、解決できたことを喜ぶのではない。

3：完成を楽しみにしているのではなく、問題が解決されずにとどまっている状態を楽しんでいる。

4：ほかに夢中になれることがある場合については書かれていない。

問題3

3

脳の使い方について書かれた文章である。
対比（体の疲れと脳の疲れ）に注目する。体は同じ姿勢で同じ筋肉に負担をかけることで疲れやすくなるが、脳も同じように、同じ状態で同じことを考え続けると疲れやすいと書かれている。
従って、上のようなことをしないようにすれば、脳が疲れにくく、効果的に使える。

1：部屋で一人でずっと頭を使っていると、同じ状態が続くので効果的ではない。

2：正解

3：さまざまなことに脳を使わないということは、同じ状態が続くので、脳も疲れやすく、効果的でない。

4：姿勢を変えると、体は疲れにくいが、一つのことを考え続けると、脳が疲れやすく、効果的でない。

問題4

4

ある町の防犯パトロールについて書かれた文章である。
文章全体を見て、原因・理由の表現（「これにより」「その結果」「こうして」）に注目する。
町のパトロールを始めた　→　あいさつを交わすようになり、仲間意識を持つようになった
→　防犯意識の高まった地域の雰囲気が犯罪者にとって居心地の悪いものになった
つまり、住民同士が仲間意識を持ったことで、犯罪者には居心地が悪くなったことが原因である。

1：犯罪者を捕まえる活動はしていない。

2：正解

3：町の住民が犯罪者になるとは書かれていない。

4：昼間留守がちな住民が中心となったとは書かれていない。

問題5

5

駅に貼ってあるお知らせである。

タイトルを選ぶ問題なので、このお知らせの目的を探す。

「～に伴いまして」の後を見る。

「この工事に伴いまして、8月27日（土）より、駅南側の階段が使えなくなります。」

1：お礼は前置きである。

2：駅の改良工事は、階段が使えなくなる理由である。

3：正解

4：南側に設置されるのは、エスカレーターである。

問題6

時間の流れを区切るという日本的作法について書かれた文章である。

6

下線部の文の後のほうを見ると、「しかし後で考えて、必要だったのは、終わりの言葉だったとわかりました。」とある。終わりの言葉がなかったことが、出席者から反応がなかった理由である。

1：必要だったのは終わりの言葉であり、発表の論証が理解できなかったからとは書かれていない。

2：正解

3：一本締めや三本締めは、パーティーやスピーチのときの例である。

4：周りの人が皆おとなしく待っていることは、出席者からはなんの反応もないことの言い換えである。

7

下線部の文の前を見ると、「そういう習慣」とは、終わりの言葉や一本締めなどで「つねに時間の流れを区切ってリズムをつくる」ことだとわかる。従って、はっきりした句点とは、終わりの言葉や行動を指す。

1：リズムの正確さについては書かれていない。

2：時間どおりに物事を始めたり終えたりすることではなく、区切ることである。

3：正解

4：作法のことではなく、時間を区切ることである。

8

段落ごとに内容をつかむ。

第1段落：筆者は、研究発表で終わりの言葉を言わなかったため、反応がなかったという経験をした。

第２段落：時間の流れを区切らないと、日本人は不安になるようである。

「日本人ははっきりした句点がないと、すぐ不安になる人たちに見えます。」(最後の文) が筆者の主張である。

1：時間に正確であるかどうかについては、書かれていない。

2：発表で「以上です」と言うのは例で、それがこの文章の中心ではない。

3：発表者が結論を述べても聞き手が反応を示さないのを、困ったものだ (＝非常に困る) と嘆いているわけではない。

4：正解

問題7

母親と息子のやり取りについて書かれた文章である。

9

母親が「早く食べて学校へ行きなさい」と言ったのに対して、息子は反抗的な態度をとるが、母親の思いがけない反応を見て、ため息をつきながらも結局素直に食卓についている。ここから反抗的な気分が薄らいだことが読み取れる。

1：ハーッとため息をついたのは、感動したためではない。

2：息子が怖がっていたとは書かれていない。

3：正解

4：素直に席にはついたが、後悔しているとは書かれていない。

10

下線部の「この受け答え」とは、息子が「うるさいな、タコ」と言ったことに対し、母親が「ハーイ、タコでーすー♪」と切り返した受け答えを指す。

下線部の後のほうを見る。筆者が感心したのは、第一に、母親が「タコでーすー♪」と相手の言葉を受け止めた点、第二に、身振りをつけて歌いながら返事をした点である。

1：正解

2：甘やかさずにきちんと育てようとしているとは書かれていない。

3：息子のやりたいようにやらせているわけではない。

4：息子の侮蔑の言葉を無視していない。

11

下線部の文を見る。

「このやりとりがケータイメールでなされたら、③こうはいかないでしょう。」

「こうはいかない」の「こう」は、母親が身振りよろしく歌にのせて返すと、息子がため息をつきながらも素直に席につくこと。

「身振りよろしく歌にのせて返した」から、息子は文字情報だけではわからない言葉以外の情報を受け取ることができたのであり、ケータイメールではそれは伝わらない。

1：微妙な気持ちは文字ではうまく表現されない。

2：時間がかかりすぎるとは書かれていない。

3：息子の態度ではなく、母親がそれをどう返したかが注目すべき点である。

4：正解

問題8

日本についての新聞記事を外国で読んだ筆者が考えを述べた文章である。

12

下線部の文を見る。

なぜ「ぼく」は電車の遅れが大変なことだとわかるのか。以前その中（＝日本社会）で生活していたからである。

1：雑貨店の前で、筆者は男の子に新聞を見せられた。

2：筆者はその暴動の現場にいたわけではない。

3：筆者は日本の暴動の新聞記事を異国で読んでいる。現場にいたわけではない。

4：正解

13

比喩に注目する。

遠い鏡＝日本の姿を映す、日本から遠い国の新聞やニュース
（筆者は今、日本から遠く離れた国にいる）

新聞では、電車が1時間くらい遅れたために暴動が起こったことを「気狂いじみた国々がある」と扱っている。

1：「鏡」は映すものの比喩で、新聞やニュースである。日本の人々の考えではない。

2：正解

3：日本の姿が映されている新聞記事を見た場所は、筆者が今いる国である。

4：暴動を起こした人々（＝日本人）が遠い国の鏡に映っているのである。

14

段落ごとに内容をつかむ。

第1段落：外国にいる筆者は、その国の新聞に日本のことが「気狂いじみた国」として紹介されているのを知る。「ぼくにとってはあたりまえであった世界」が、ここでは、「狂気」「奇怪なも

の」として語られている。

第２段落：日本のような近代社会は、忙しさが無限に続く基本構造になっているが、筆者はそこに帰っていく。

筆者は、今いる国と日本を比べることで、異なる視点から自分の国を見ることができたのである。

1：この国でずっと過ごしたい気持ちになったとは書かれていない。

2：日本がなつかしく感じられ、帰りたい気持ちになったとは書かれていない。

3：正解

4：不思議さと狂気は、その国ではなく、日本についてのものである。筆者自身が気づいたのではなく、新聞に書かれていた。

問題９

ＡとＢは子供がシリーズ本を読むことについて書かれた文章である。

15

ＡとＢの情報を比較する問題である。ＡＢの共通点を探す。

1：シリーズものの内容の具体例は、Ａだけにある。（３人組の少年が…などが代表的だ）

2：正解（Ａ：「…シリーズ本！」という答えがよく返ってくる。親世代にも…夢中になった人がいることだろう。Ｂ：だれにとっても誘惑的な存在）

3：子供の年齢の例は、Ｂだけにある。（九歳と十歳）

4：大人が子供にシリーズものを読ませたがる理由はどちらにも書かれていない。

16

子供がシリーズものを読むことについて、ＡとＢの意見を比較する。どのような立場かに注目して読む。

Ａ：「楽しい読書体験」「経験は貴重」「将来の読書習慣への第一歩」←肯定的な立場

Ｂ：「貴重な時間が、一人の作家の一つの世界に長期にわたって占領…明らかに問題です」

←否定的な立場

1：正解

問題10

今の若者と先生との関係について書かれた文章である。

17

下線部の前にある「“友だち親子”」の親は、以前のような、明確な役割を持つ親ではなく、友達のような親のことである。

1：そばにいるとは書かれていない。

2：正解（同じような位置にいる＝友だちのような）

3：大切にしてくれるとは書かれていない。

4：自分から遠いとは書かれていない。

18

下線部の文を見る。「私の知人の大学教員が、学生に「…先生と呼ばずに○○さんと呼びなさい」と言ったが、一向に②「先生」をやめてくれない、と話してくれたことがあった。」

「先生」をやめる＝「先生」と呼ぶのをやめる。

だれが、だれを「先生」と呼ぶのか探す。

［学生が］［私＝大学教員を］「先生」［と呼ぶの］をやめてくれない。

4：正解

19

段落ごとに内容をまとめる。

第1〜2段落：今の若者は先生のウワサ話をするなど、先生に関心を持っている。

第3〜4段落：先生は自分に身近で特別な存在で、関係性がはっきりした大人である。そういう大人は多くない。

第5段落：　「だれでも友だち」という関係では、若者は自分の位置づけができず、問題である。

第6段落：　関係がはっきりしている先生は若者にとって安心できる存在である。

自分の位置づけをはっきりさせるためには、指導し、お手本を見せてくれる大人が必要である。しかし今その役割を担っているのは先生だけであるため、今の若者は先生への関心が高いというのが筆者の主張である。

1：先生は友だちのような感覚で接することができる存在だとは書かれていない。

2：今の若者は親との関係が薄いのではなく、親と友だちのような関係である。

3：正解

4：先生は、若者と同じ高さの目線で教えてくれるのではなく、先生という役割を持っている大人である。

問題11

区役所のホームページに載っている小学校入学の手続きである。

20

「8月末までに青葉丘区でお子様の外国人登録を行った方」を見る。太字に注目する。

1：教育委員会に必要な書類を持って行って手続きをするのは、9月以降に外国人登録を行った人である。

2：教育委員会で子供の外国人登録を再度行うとは書かれていない。

3：連絡するのは青葉丘区役所ではない。

4：正解

21

問いと選択肢のキーワードを探す　→　「指定校」「同じ小学校」「選択する」「許可が得られる」

２つ目の■を見る。太字に注目する。

「入学する学校は、お住まいの住所地に基づいて教育委員会が定めています（「指定校」といいます）。入学する小学校を自由に選択することはできません。」

1：正解

2：通いたい小学校を選択することはできない。

3：友達の子供が通っている小学校から許可を得ることはできない。

4：双方の小学校に相談できるのは、兄、姉が別の小学校に通っている場合だけである。